EL MONO GRAMÁTICO

OCTAVIO PAZ

EL MONO
GRAMÁTICO

BIBLIOTECA BREVE
EDITORIAL SEIX BARRAL, S. A
BARCELONA

Cubierta: Alberto Corazón, sobre una fotografía
de Daniel David de *Hanumān* (Rajastán, s. xviii),
dibujo sobre papel
(colección de Marie José Paz)

Primera edición: septiembre de 1974

© 1974: Octavio Paz, México

Derechos exclusivos de edición
reservados para los países de habla española:
© 1974: Editorial Seix Barral, S. A.,
Provenza, 219 - Barcelona

ISBN: 84 322 0269 X
Depósito legal: B. 40.784 - 1974

Printed in Spain

HANUMĀN, HANUMAT, HA-
NŪMAT. A celebrated monkey
chief. He was able to fly and is
a conspicuous figure in the *Rāmāyana* ... Hanumān jumped from
India to Ceylon in one bound; he
tore up trees, carried away the
Himalayas, seized the clouds and
performed many other wonderful
exploits ... Among his other ac-
complishments, Hanumān was a
grammarian; and the *Rāmāyana*
says: «The chief of monkeys is
perfect; no one equals him in the
sāstras, in learning, and in ascer-
taining the sense of the scriptures
(or in moving at will). It is well
known that Hanumān was the
ninth author of grammar».

John Dowson, M.R.A.S.,
*A Classical Dictionary of
Hindu Mythology.*

A Marie José

lo mejor será escoger el camino de Galta, recorrerlo de nuevo (inventarlo a medida que lo recorro) y sin darme cuenta, casi insensiblemente, ir hasta el fin —sin preocuparme por saber qué quiere decir «ir hasta el fin» ni qué es lo que yo he querido decir al escribir esa frase. Cuando caminaba por el sendero de Galta, ya lejos de la carretera, una vez pasado el paraje de los banianos y los charcos de agua podrida, traspuesto el Portal en ruinas, al penetrar en la plazuela rodeada de casas desmoronadas, precisamente al comenzar la caminata, tampoco sabía adónde iba ni me preocupaba saberlo. No me hacía preguntas: caminaba, nada más caminaba, sin rumbo fijo. Iba al encuentro... ¿de qué iba al encuentro? Entonces no lo sabía y no lo sé ahora. Tal vez por eso escribí «ir hasta el fin»: para saberlo, para saber qué hay detrás del fin. Una trampa verbal; después del fin no hay nada pues si algo hubiese el fin no sería fin. Y, no obstante, siempre caminamos al encuentro de..., aunque sepamos que nada ni nadie nos aguarda. Andamos sin dirección fija pero con un fin (¿cuál?) y para llegar al fin. Búsqueda del fin, terror ante el fin: el haz y el envés del mismo acto.

Sin ese fin que nos elude constantemente ni caminaríamos ni habría caminos. Pero el fin es la refutación y la condenación del camino: al fin el camino se disuelve, el encuentro se disipa. Y el fin—también se disipa.

Volver a caminar, ir de nuevo al encuentro: el camino estrecho que sube y baja serpeando entre rocas renegridas y colinas adustas color camello; colgadas de las peñas, como si estuviesen a punto de desprenderse y caer sobre la cabeza del caminante, las casas blancas; el olor a pelambre trasudada y a excremento de vaca; el zumbar de la tarde; los gritos de los monos saltando entre las ramas de los árboles o corriendo por las azoteas o balanceándose en los barrotes de un balcón; en las alturas, los círculos de los pájaros y el humo azulenco de las cocinas; la luz casi rosada sobre las piedras; el sabor de sal en los labios resecos; el rumor de la tierra suelta al desmoronarse bajo los pies; el polvo que se pega a la piel empapada de sudor, enrojece los ojos y no deja respirar; las imágenes, los recuerdos, las figuraciones fragmentarias—todas esas sensaciones, visiones y semipensamientos que aparecen y desaparecen en el espacio de un parpadeo, mientras se camina al encuentro de... El camino también desaparece mientras lo pienso, mientras lo digo.

Tras mi ventana, a unos trescientos metros, la mole verdinegra de la arboleda, montaña de hojas y ramas que se bambolea y amenaza con desplomarse. Un pueblo de hayas, abedules, álamos y fresnos congregados sobre una ligerísima eminencia del terreno, todas sus copas volcadas y vueltas una sola masa líquida, lomo de mar convulso. El viento los sacude y los golpea hasta hacerlos aullar. Los árboles se retuercen, se doblan, se yerguen de nuevo con gran estruendo y se estiran como si quisiesen desarraigarse y huir. No, no ceden. Dolor de raíces y de follajes rotos, feroz tenacidad vegetal no menos poderosa que la de los animales y los hombres. Si estos árboles se echasen a andar, destruirían a todo lo que se opusiese a su paso. Prefieren quedarse donde están: no tienen sangre ni nervios sino savia y, en lugar de la cólera o el miedo, los habita una obstinación silenciosa. Los animales huyen o atacan, los árboles se quedan clavados en su sitio. Paciencia: heroísmo vegetal. No ser ni león ni serpiente: ser encina, ser pirú.

El cielo se ha cubierto enteramente de nubes color acero, casi blanco en las lejanías y paulatinamente ennegrecido hacia el centro, arriba de la arboleda: allí se reconcentra en congregaciones moradas y violentas. Los árboles gritan sin cesar bajo esas acumulaciones rencorosas. Hacia la derecha la arboleda es un poco menos espesa y los follajes de dos hayas, enlazados, forman un arco sombrío. Abajo del arco hay un espacio claro y extraordinariamente quieto, una suerte de laguna de luz que desde aquí no es del todo visible, pues la corta la raya de la barda de los vecinos. Es una barda de poca altura, una superficie cuadriculada de ladrillos sobre la que se extiende la mancha, verde y fría, de un rosal. A trechos, donde no hay hojas, se ve el tronco nudoso y las bifurcaciones de sus ramas larguísimas y erizadas de espinas. Profusión de brazos, pinzas, patas y otras extremidades armadas de púas: nunca había pensado que un rosal fuese un cangrejo inmenso. El patio debe tener unos cuarenta metros cuadrados; su piso es de cemento y, además del rosal, lo adorna un prado minúsculo sembrado de margaritas. En una esquina hay una mesita de madera negra, ya desvencijada. ¿Para qué habrá servido? Tal vez fue pedestal de una maceta. Todos los días, durante varias horas, mientras leo o escribo, la tengo frente a mí, pero, por más acostumbrado que esté a su presencia, me sigue pareciendo una incongruencia: ¿qué hace allí? A veces la veo como se ve una falta, un acto indebido; otras, como una crítica. La crítica de la

14

retórica de los árboles y el viento. En el rincón opuesto está el bote de basura, un cilindro metálico de setenta centímetros de altura y medio metro de diámetro: cuatro patas de alambre que sostienen un aro provisto de una cubierta oxidada y del que cuelga una bolsa de plástico destinada a contener los desperdicios. La bolsa es de color rojo encendido. Otra vez los cangrejos. La mesa y el bote de basura, las paredes de ladrillo y el piso de cemento, encierran al espacio. ¿Lo encierran o son sus puertas?

Bajo el arco de las hayas la luz se ha profundizado y su fijeza, sitiada por las sombras convulsas del follaje, es casi absoluta. Al verla, yo también me quedo quieto. Mejor dicho: mi pensamiento se repliega y se queda quieto por un largo instante. ¿Esa quietud es la fuerza que impide huir a los árboles y disgregarse al cielo? ¿Es la *gravedad* de este momento? Sí, ya sé que la naturaleza—o lo que así llamamos: ese conjunto de objetos y procesos que nos rodea y que, alternativamente, nos engendra y nos devora—no es nuestro cómplice ni nuestro confidente. No es lícito proyectar nuestros sentimientos en las cosas ni atribuirles nuestras sensaciones y pasiones. ¿Tampoco lo será ver en ellas una guía, una doctrina de vida? Aprender el arte de la inmovilidad en la agitación del torbellino, aprender a quedarse quieto y a ser transparente como esa luz fija en medio de los ramajes frenéticos—puede ser un programa de vida. Pero el claro ya no es una laguna ovalada sino un triángulo incandescente, recorrido por finísimas estrías de sombra. El triángulo se agita imperceptiblemente hasta que, poco a poco, se produce una ebullición luminosa, primero en las regiones exteriores y después, con creciente ímpetu, en su núcleo encendido, como si toda esa luz líquida fuese una materia hirviente y progresivamente amarilla. ¿Estallará? Las burbujas se encienden y apagan continuamente con un ritmo semejante al de una respiración inquieta. A medida que el cielo se oscurece, el claro de luz se vuelve más profundo y parpadeante, casi una lámpara a punto de extinguirse entre tinieblas agitadas. Los árboles siguen en pie aunque ya están vestidos de otra luz.

La fijeza es siempre momentánea. Es un equilibrio, a un tiempo precario y perfecto, que dura lo que dura un instante: basta una vibración de la luz, la aparición de una nube o una mínima alteración de la temperatura para que el pacto de quietud se rompa y se desencadene la serie de las metamorfosis. Cada metamorfosis, a su vez, es otro momento de fijeza al que sucede una nueva alteración y otro insólito equilibrio. Sí, nadie está solo y cada cambio aquí provoca otro cambio allá. Nadie está solo y nada es sólido: el cambio se resuelve en fijezas que son acuerdos momentáneos. ¿Debo decir que la forma del cambio es la fijeza o, más exactamente, que el

RESPUESTA
COMERCIAL

F. D. Autorización n.° 978
(B. O. de Correos 16.1.67)
n.° 1919

TARJETA
POSTAL

A
FRANQUEAR
EN
DESTINO

EDITORIAL ARIEL, S. A.
EDITORIAL SEIX BARRAL, S. A.
Apartado F. D. 260

BARCELONA

Amable lector:

Esta tarjeta que Vd. ha encontrado en SU LIBRO, LE DA DERECHO a recibir
información completa y detallada sobre:

| 1 | 2 | 3 | 4 | 5 |

☐ Literatura española e
   Hispanoamericana
☐ Novela extranjera
☐ Ensayo y crítica   1

☐ Historia   ☐ Política
☐ Filosofía, Psicología,
   Pedagogía   2
☐ Sociología, Antropología

☐ Derecho   ☐ Economía
☐ Economía de Empresa   3

☐ Geografía   4
☐ Ciencias y Técnica

☐ Información periódica
   de Novedades.   5

SOLICITELAS

E Nombre ....
T Apellidos ....
N Profesión ....
E Dirección ....Dto. Postal...........
I Población ....
M Telf. ....Prov. ....
E Nación ....
R

Rogamos ESCRIBAN EN LETRA DE IMPRENTA O A MAQUINA

ESTARAN SIEMPRE A SU DISPOSICION.   Gracias

cambio es una incesante búsqueda de fijeza? Nostalgia de la inercia: la pereza y sus paraísos congelados. La sabiduría no está ni en la fijeza ni en el cambio, sino en la dialéctica entre ellos. Constante ir y venir: la sabiduría está en lo instantáneo. Es el tránsito. Pero apenas digo *tránsito,* se rompe el hechizo. El tránsito no es sabiduría sino un simple ir hacia... El tránsito se desvanece: sólo así es tránsito.

3

No quería pensar más en Galta y en su polvoso camino, y ahora vuelven. Regresan de una manera insidiosa: a pesar de que no los veo siento que están de nuevo aquí y que esperan ser nombrados. No se me ocurre nada, no pienso en nada, es el verdadero «pensamiento en blanco»: como la palabra *tránsito* cuando la digo, como el camino mientras lo camino, todo se desvanece en cuanto pienso en Galta. ¿Pienso? No, Galta está aquí, se ha deslizado en un recodo de mis pensamientos y acecha con esa existencia indecisa, aunque exigente en su misma indecisión, de los pensamientos no del todo pensados, no del todo dichos. Inminencia de la presencia antes de presentarse. Pero no hay tal presencia—sólo una espera hecha de irritación e impotencia. Galta no está aquí: me aguarda al final de esta frase. Me aguarda para desaparecer. Ante el vacío que produce su nombre siento la misma perplejidad que frente a sus colinas achatadas por siglos de viento y sus llanos amarillentos sobre los que, durante los largos meses de sequía, cuando el calor pulveriza a las rocas y el cielo parece que va a agrietarse como la tierra, se levantan las tolvaneras. Rojeantes, grisáceas o pardas apari-

ciones que brotan de pronto como si fuesen un surtidor de agua o un géiser de vapor, salvo que los
torbellinos son imágenes de la sed, malignas celebra-
ciones de la aridez. Fantasmas que danzan al girar,
avanzan, retroceden, se inmovilizan, desaparecen aquí,
reaparecen allá: apariciones sin sustancia, ceremonias
de polvo y aire. También esto que escribo es una
ceremonia, girar de una palabra que aparece y desaparece en sus giros. Edifico torres de aire.

Los torbellinos son frecuentes en la otra vertiente del monte, en la gran llanura, no entre estos declives y hondonadas. Aquí la tierra es mucho más
accidentada que del otro lado, aunque de nada le haya
servido a Galta cobijarse en las faldas del monte. Al
contrario, su situación la expuso aún más a la acción
del desierto. Todas estas ondulaciones, cavidades y
gargantas son las cañadas y los cauces de arroyos hoy
extintos. Esos montículos arenosos fueron arboledas.
No sólo se camina entre casas destruidas: también
el paisaje se ha desmoronado y es una ruina. Leo una
descripción de 1891: «The way the sandy desert
is encroaching in the town should be noticed. It
has caused one large suburb to be deserted and
the houses and gardens are going to ruin. The sand
has even drifted up the ravines of the hills. This
evil ought to be arrested at any cost by planting».
Menos de veinte años después Galta fue abandonada. No por mucho tiempo: primero los mo-

20

nos y después bandas de parias errantes ocuparon las ruinas.

No es más de una hora de marcha. Se deja la carretera a la izquierda, se tuerce entre colinas rocosas y se sube por quebradas no menos áridas. Una desolación que no es hosca sino lastimosa. Paisaje de huesos. Restos de templos y casas, arcos que conducen a patios cegados por la arena, fachadas detrás de las cuales no hay nada sino pilas de cascajo y basuras, escalinatas que terminan en el vacío, terrazas desfondadas, piscinas convertidas en gigantescos depósitos de excrementos. Al cabo de recorrer esas ondulaciones se desciende a un llano raso y pelado. El sendero es de piedras picudas y uno se cansa pronto. A pesar de que son ya las cuatro de la tarde, el suelo quema. Arbustos pequeños, plantas espinosas, una vegetación torcida y raquítica. Enfrente, no muy lejos, la montaña famélica. Pellejo de piedras, montaña sarnosa. Hay un polvillo en el aire, una sustancia impalpable que irrita y marea. Las cosas parecen más quietas bajo esta luz sin peso y que, sin embargo, agobia. Tal vez la palabra no es *quietud* sino *persistencia*: las cosas persisten bajo la humillación de la luz. Y la luz persiste. Las cosas son más cosas, todo está empeñado en ser, nada más en ser. Se cruza el cauce pedregoso de un riachuelo seco y el ruido de los pasos sobre las piedras hace pensar en el rumor del agua, pero las piedras humean, el suelo humea.

Ahora el camino da vueltas entre colinas cónicas y negruzcas. Un paisaje petrificado. Contrasta esta severidad geométrica con los delirios que el viento y las rocas inventan allá arriba, en la montaña. Se sube durante un centenar de metros por una cuesta no muy empinada, entre montones de pedruscos y tierra arenisca. A la geometría sucede lo informe: imposible saber si esos escombros son los de las casas demolidas o lo que queda de peñascos disgregados, desmenuzados por el viento y el sol. Otra vez se desciende: yerbales, plantas biliosas, cardos, hedor a boñiga e inmundicia humana y animal, bidones oxidados y agujereados, trapos con manchas menstruales, una asamblea de buitres en torno a un perro con el vientre despedazado a picotazos, millones de moscas, una roca sobre la que han pintado con alquitrán las siglas del Partido del Congreso, otra vez el arroyo seco, un *nim* enorme donde viven centenares de pájaros y ardillas, más llanos y ruinas, los vuelos pasionales de los pericos, un montículo que fue tal vez un cenotafio, un muro con restos de pintura roja y negra (Krishna y sus vaqueras, pavorreales y otras figuras irreconocibles), una marisma cubierta de lotos y sobre ellos una nube de mariposas, el silencio de las rocas bajo la vibración luminosa del aire, la respiración del campo, el terror ante el crujido de una rama o el ruido de una pedrezuela movida por una lagartija (la constante presencia invisible de la cobra

22

y la otra presencia no menos impalpable y que no nos deja nunca, sombra de nuestros pensamientos, reverso de lo que vemos y hablamos y somos) y así hasta llegar, de nuevo por el cauce del mismo arroyo, a un valle minúsculo.

Atrás y a los lados, las colinas achatadas, el paisaje aplastado de la erosión; adelante, la montaña con la senda que lleva al gran tanque bajo las peñas y, desde allí, por el camino de los peregrinos, al santuario de la cumbre. Apenas si quedan huellas de las casas. Hay tres banianos, viejos y eminentes. A su sombra—o más bien: metidos en su espesura, escondidos en la penumbra de sus entrañas, como si fuesen cuevas y no árboles—unos niños vivísimos y en andrajos. Cuidan una docena de vacas flacas y resignadas al martirio de las moscas y las garrapatas. También hay dos cabritos y muchos cuervos. Aparece la primera bandada de monos. Los niños los apedrean. Verdes y centelleantes bajo la luz constante, dos grandes charcos de agua pestilente. Dentro de unas semanas el agua se habrá evaporado, el lodo se habrá secado y los charcos serán lechos de polvo finísimo sobre el que los niños y el viento han de revolcarse.

4

La fijeza es siempre momentánea. ¿Cómo puede serlo *siempre*? Si lo fuese, no sería momentánea—o no sería fijeza. ¿Qué quise decir con esa frase? Probablemente tenía en mientes la oposición entre movimiento e inmovilidad, una oposición que el adverbio *siempre* designa como incesante y universal: se extiende a todas las épocas y comprende a todas las circunstancias. Mi frase tiende a disolver esa oposición y así se presenta como una taimada transgresión del principio de identidad. Taimada porque escogí la palabra *momentánea* como el complemento de *fijeza* para atenuar la violencia del contraste entre movimiento e inmovilidad. Una pequeña superchería retórica destinada a darle apariencia de plausibilidad a la infracción de la lógica. Las relaciones entre la retórica y la moral son inquietantes: es turbadora la facilidad con que el lenguaje se tuerce y no lo es menos que nuestro espíritu acepte tan dócilmente esos juegos perversos. Deberíamos someter el lenguaje a un régimen de pan y agua, si queremos que no se corrompa y nos corrompa. (Lo malo es que régimen-de-pan-y-agua es una expresión figurada como lo es la corrupción-del-lenguaje-y-sus-contagios.) Hay que destejer (otra metáfora) inclusive las frases más simples para averiguar qué es lo que encierran (más expresiones figuradas) y de qué y cómo están hechas (¿de qué está hecho el lenguaje? y, sobre todo, ¿está hecho o es algo que perpetuamente se está haciendo?). Destejer el tejido verbal: la realidad aparecerá. (Dos metáforas.) ¿La realidad será el reverso del tejido, el reverso de la metáfora—aquello que está del otro lado del lenguaje? (El lenguaje no tiene reverso ni cara ni lados.) Quizá la realidad también es una metáfora (¿de qué y/o de quién?). Quizá las cosas no son cosas sino palabras: metáforas, palabras de otras cosas. ¿Con quién y de qué hablan las cosas-palabras? (Esta página es un saco de palabras-cosas.) Tal vez, a la manera de las cosas que hablan con ellas mismas en su lenguaje de cosas, el lenguaje no habla de las cosas ni del mundo: habla de sí mismo y consigo mismo. (Thougths of a dry brain in a dry season.) Ciertas realidades no se pueden enunciar pero, cito de memoria, «son aquello que se muestra en el lenguaje sin que el lenguaje lo enuncie». Son aquello que el lenguaje no dice y así dice. (Aquello que se muestra en el lenguaje no es el silencio, que por definición no dice, ni aquello que diría el silencio si hablase, si dejase de ser silencio, sino...) Aquello que se dice en el lenguaje sin que el lenguaje lo diga, es decir (¿es decir?): aquello que realmente se dice (aquello que entre una frase y otra, en esa grieta que

26

no es ni silencio ni voz, aparece) es aquello que el lenguaje calla (la fijeza es siempre momentánea).

Vuelvo a mi observación inicial: por medio de una sucesión de análisis pacientes y en dirección contraria a la actividad normal del hablante, cuya función consiste en producir y construir frases, mientras que aquí se trata de desmontarlas y desacoplarlas —desconstruirlas, por decirlo así—, deberíamos remontar la corriente, desandar el camino y de expresión figurada en expresión figurada llegar hasta la raíz, la palabra original, primordial, de la cual todas las otras son metáforas. *Momentánea* es metáfora —¿de qué otra palabra? Al escogerla como complemento de fijeza incurrí en esa frecuente confusión que consiste en atribuir propiedades espaciales al tiempo y propiedades temporales al espacio, como cuando decimos «a lo largo del año», la «carrera de las horas», el «avance del minutero» y otras expresiones de ese jaez. Si se substituye la expresión figurada por la directa, aparecerá el contrasentido: la fijeza es (siempre) *movimiento*. A su vez, fijeza es una metáfora. ¿Qué quise decir con esa palabra? Tal vez: *aquello que no cambia*. Así, la frase podría haber sido: lo que no cambia es (siempre) movimiento. El resultado no es satisfactorio: la oposición entre no-cambio y movimiento no es neta, la ambigüedad reaparece. Puesto que movimiento es una metáfora de *cambio,* lo mejor será decir: no-cambio es (siempre) cambio. Al fin parece que he llegado al desequilibrio deseado. Sin embargo, cambio no es la palabra original que busco: es una figura de *devenir*. Al substituir cambio por devenir, la relación entre los dos términos se altera, de modo que debo reemplazar no-cambio por *permanencia,* que es una metáfora de fijeza como devenir lo es de *llegar-a-ser* que, por su parte, es una metáfora del *tiempo* en sus transformaciones incesantes... No hay principio, no hay palabra original, cada una es una metáfora de otra palabra que es una metáfora de otra y así sucesivamente. Todas son traducciones de traducciones. Transparencia en la que el haz es el envés: la fijeza siempre es momentánea.

Empiezo de nuevo: si es un contrasentido decir que la fijeza *siempre* es momentánea, no lo será decir que *nunca* lo es. La luz del sol de esta mañana ha caído sin interrupción sobre la inmóvil superficie de la mesita negra que está en un rincón del patio de los vecinos (al fin tiene una función en estas páginas: me sirve de ejemplo en una demostración incierta) durante el poco tiempo en que se despejó el cielo anubarrado: unos quince minutos, los suficientes para mostrar la falsedad de la frase: la fijeza nunca es momentánea. El tordo plateado y oliváceo, posado en un filo de sombra, él mismo sombra afilada vuelto luz erguida entre y contra los diversos resplandores de los vidrios rotos de botella encajados en los bor-

28

des de un muro a la hora en que las reverberaciones deshabitan el espacio, reflejo entre reflejos, instantánea claridad aguzada hecha de un pico, unas plumas y el brillo de un par de ojos; la lagartija gris y triangular, espolvoreada por una finísima materia apenas verdosa, quieta en una hendedura de otra barda de otra tarde en otro lugar: no una piedra veteada sino un trozo de mercurio animal; la mata de hojas frescas sobre las que de un día para otro, sin previo aviso, aparece un orín color de fuego que no es sino la marca de las armas rojas del otoño y que inmediatamente pasa por diversos estados, como la brasa que se aviva antes de extinguirse, del cobre al tinto y del leonado al requemado: en cada momento y en cada estado siempre la misma planta; la mariposa aquella que vi un mediodía de Kasauli, clavada sobre un girasol negro y amarillo como ella, las alas abiertas, ya una muy tenue lámina de oro peruano en la que se hubiese concentrado todo el sol de los Himalayas—están fijos, no allá: aquí, en mi mente, fijos por un instante. La fijeza siempre es momentánea.

Mi frase es un momento, el momento de fijeza, en el monólogo de Zenón de Elea y Hui Shih («Hoy salgo hacia Yüeh y llego ayer»). En ese monólogo uno de los términos acaba por devorar al otro: o la inmovilidad sólo es un estado del movimiento (como en mi frase) o el movimiento sólo es una ilusión de la inmovilidad (como entre los hindúes). Por tanto, no hay que decir ni *siempre* ni *nunca,* sino casi siempre o casi nunca, sólo de vez en cuando o más de lo que generalmente se piensa y menos de lo que está expresión podría indicar, en muchas ocasiones o en rarísimas, con cierta constancia o no disponemos de elementos suficientes para afirmar con certeza si es periódica o irregular: la fijeza (siempre, nunca, casi siempre, casi nunca, etc.) es momentánea (siempre, nunca, casi siempre, casi nunca, etc.) la fijeza (siempre, nunca, casi siempre, casi nunca, etc.) es momentánea (siempre, nunca, casi siempre, casi nunca, etc.) la fijeza... Todo esto quiere decir que la fijeza nunca es enteramente fijeza y que siempre es un momento del cambio. La fijeza es siempre momentánea.

5

Debo hacer un esfuerzo (¿no dije que ahora sí iría hasta el fin?), dejar el paraje de los charcos y llegar, unos mil metros más lejos, a lo que llamo el Portal. Los niños me acompañan, se ofrecen como guías y me piden dinero. Me detengo junto a un arbolillo, saco mi navaja y corto una rama. Me servirá de bastón y de estandarte. El Portal es un lienzo de muralla, alta aunque no muy extensa, y que ostenta desteñidos trazos de pintura roja y negra. La puerta de entrada está situada en el centro y la remata un gran arco sarraceno. Arriba y a los lados del arco, dos hileras de balcones que recuerdan a los de Sevilla y a los de Puebla de México, salvo que éstos son de madera y no de hierro. Debajo de cada balcón hay una hornacina vacía. El muro, los balcones y el arco son los restos de lo que debe haber sido un palacete de fines del siglo XVIII, semejante a los que abundan en el otro lado de la montaña.

Cerca del Portal hay un gran baniano que debe ser viejísimo a juzgar por el número de sus raíces colgantes y la forma intrincada en que descienden a la tierra desde lo alto de la copa para afincarse, ascender de nuevo, avanzar y entretejerse unas con otras a la manera de las cuerdas, los cables y los mástiles de un velero. Pero el baniano-velero no se pudre en las aguas estancadas de una bahía sino en esta tierra arenosa. En sus ramas, los devotos han atado cintas de colores, todas desteñidas por la lluvia y el sol. Esos moños descoloridos le dan el aspecto lamentable de un gigante cubierto de vendas sucias. Adosada al tronco principal, sobre una pequeña plataforma encalada, reposa una piedra de unos cuarenta centímetros de altura; su forma es vagamente humana y toda ella está embadurnada, con una pintura espesa y brillante de un rojo sanguíneo. Al pie de la figura hay pétalos amarillos, cenizas, cacharros rotos y otros restos que no acierto a distinguir. Los niños saltan y gritan, señalando a la piedra: «Hanumān, Hanumān». A sus gritos brota entre las piedras un mendigo que me muestra sus manos comidas por la lepra. Al instante aparece otro pordiosero y luego otro y otro.

Me aparto, cruzo el arco y penetro en una suerte de plazoleta. En el extremo derecho, una confusa perspectiva de arquitecturas desplomadas; en el izquierdo, un muro que reproduce en una escala más modesta el Portal: trazos de pintura roja y negra, dos balcones y una entrada rematada por un arco gracioso y que deja ver un patio enmarañado por una vegetación hostil; enfrente, una calle ancha, sinuosa y empedrada, bordeada por casas casi del todo derrui-

das. En el centro de la calle, a unos cien metros de donde estoy ahora, hay una fuente. Los monos saltan el muro del Portal, atraviesan corriendo la plazoleta y se encaraman en la fuente. Pronto los desalojan las piedras que les lanzan los niños. Camino hacia la fuente. Enfrente hay una construcción todavía en pie, sin balcones pero con anchas puertas de madera de par en par abiertas. Es un templo. A los lados de las entradas hay varios puestos entoldados en donde unos vejetes venden cigarrillos, fósforos, incienso, dulces, oraciones, imágenes santas y otras chucherías. Desde la fuente puede vislumbrarse el patio, vasto espacio rectangular enlosado. Acaban de lavarlo y despide un vapor blancuzco. A su alrededor, bajo un techado sostenido por pilares, como si fuesen las secciones de una feria, los altares. Unos barandales de madera separan a un altar de otro y a cada divinidad de los devotos. Más que altares son jaulas. Dos sacerdotes sebosos, desnudos de la cintura para arriba, aparecen en la entrada y me invitan a pasar. Me rehúso.

Al otro lado de la calle hay un edificio devastado pero hermoso. De nuevo el alto muro, los dos balcones a la andaluza, el arco y, tras el arco, una escalinata dueña de cierta secreta nobleza. La escalinata conduce a una vasta terraza rodeada por una arquería que repite, en pequeño, el arco de la entrada. Los arcos están sostenidos por columnas de formas irregulares y caprichosas. Precedido por los monos, cruzo la calle y traspongo el arco. Me detengo y, luego de un momento de indecisión, empiezo a subir lentamente los peldaños. En el otro extremo de la calle los niños y los sacerdotes me gritan algo que no entiendo.

Si continúo... porque puedo no hacerlo y, después de haber rehusado la invitación de los dos obesos sacerdotes, seguir a lo largo de la calle durante unos diez minutos, salir al campo y emprender el empinado camino de los peregrinos que lleva al gran tanque y a la ermita al pie de la roca. Si continúo, subiré paso a paso la escalinata y llegaré a la gran terraza. Ah, respirar en el centro de ese rectángulo abierto y que se ofrece a los ojos con una suerte de simplicidad lógica. Simplicidad, necesidad, felicidad de un rectángulo perfecto bajo los cambios, los caprichos y las violencias de la luz. Un espacio hecho de aire y en el que todas las formas poseen la consistencia del aire: nada pesa. Al fondo de la terraza hay un gran nicho: otra vez la piedra informe embadurnada de rojo encendido y a sus pies las ofrendas: flores amarillas, cenizas de incienso. Estoy rodeado por monos que saltan de un lado para otro: machos fornidos que se rascan sin parar y gruñen enseñando los dientes si alguien se les acerca, hembras con las crías prendidas a las tetas, monos que expulgan a otros monos, monos colgados de las cornisas y las balaus-

34

tradas, monos que se pelean o juegan o se masturban o se arrebatan la fruta robada, monos gesticulantes de ojos chispeantes y colas en perpetua agitación, gritería de monos de culos pelados y rojos, monos, monos.

Golpeo el suelo con los pies, doy grandes voces, corro de un lado para otro, enarbolo la rama que corté en el paraje de los charcos y la hago silbar en el aire como un látigo, azoto con ella a dos o tres monos que se escapan chillando, me abro paso entre los otros, atravieso la terraza, penetro un corredor bordeado por una complicada balaustrada de madera cuyo repetido motivo es un monstruo femenino, alado y con garras, que recuerda a las esfinges del Mediterráneo (entre los barrotes y las molduras aparecen y desaparecen las caras curiosas y las colas en perpetuo movimiento de los monos que, a distancia, me siguen), entro en una estancia en penumbra, a pesar de la oscuridad y de que marcho casi a tientas adivino que el recinto es espacioso como una sala de reunión o de fiestas, debe haber sido el salón principal del harem o la sala de audiencias, entreveo palpitantes bolsas negras colgando de la techumbre, es una tribu de murciélagos dormidos, el aire es un miasma acre y pesado, salgo a otra terraza más pequeña, ¡cuánta luz!, en el otro extremo reaparecen los monos, me miran desde lejos con una mirada en la que la curiosidad es indistinguible de la indiferencia (sí, me miran desde la lejanía que es ser ellos monos y yo hombre), ahora estoy al pie de un muro manchado de humedad y con restos de pintura, muy probablemente se trata de un paisaje, no este de Galta sino otro verde y montañoso, casi con toda seguridad es una de esas representaciones estereotipadas de los Himalayas, sí, esas formas vagamente cónicas y triangulares figuran montañas, unos Himalayas de picos nevados, riscos, cascadas y lunas sobre un desfiladero, montañas de cuento ricas en fieras, ascetas y prodigios, frente a ellas cae y se levanta, se yergue y se humilla, montaña que se hace y deshace, un mar convulso, impotente e hirviente de monstruos y abominaciones (los dos extremos, irreconciliables como el agua y el fuego: la montaña pura y que esconde entre sus repliegues los caminos de la liberación / el mar impuro y sin caminos; el espacio de la definición / el de la indefinición; la montaña y su oleaje petrificado: la permanencia / el mar y sus montañas inestables: el movimiento y sus espejismos; la montaña hecha a la imagen del ser, manifestación sensible del principio de identidad, inmóvil como una tautología / el mar que se contradice sin cesar, el mar crítico del ser y de sí mismo), entre la montaña y el mar el espacio aéreo y en la mitad de esa región vacía: una gran forma oscura, la montaña ha disparado un bólido, hay un cuerpo poderoso suspendido sobre el océano, no es el sol: ¡es el elefante entre los monos, el león, el toro de los simios!, nada vigorosamente en el éter plegando

36

y desplegando las piernas y los brazos con un ritmo parejo como una rana gigantesca, adelante la cabeza, proa que rompe los vientos y destroza las tempestades, los ojos son dos faros que perforan los torbellinos y taladran el espacio petrificado, entre las encías rojas y los labios morados asoman sus dientes blanquísimos: aguzados limadores de distancias, la cola rígida y en alto es el mástil de este terrible esquife, color de brasa encendida todo el cuerpo, un horno de energía volando sobre las aguas, una montaña de cobre hirviendo, las gotas de sudor que escurren de su cuerpo son una poderosa lluvia que cae en millones de matrices marinas y terrestres (mañana habrá gran cosecha de monstruos y maravillas), a medida que el cometa rojizo divide en dos al cielo el mar alza sus millones de brazos para aprisionarlo y destruirlo, grandes serpientes lascivas y demonias del océano se levantan de sus lechos viscosos y se precipitan a su encuentro, quieren devorar al gran mono, quieren copular con el casto simio, romper sus grandes cántaros herméticamente cerrados y repletos de un semen acumulado durante siglos de abstinencia, quieren repartir la sustancia viril entre los cuatro puntos cardinales, diseminarla, dispersar al ser, multiplicar las apariencias, multiplicar la muerte, quieren sorberle el pensamiento y los tuétanos, desangrarlo, vaciarlo, estrujarlo, chuparlo, convertirlo en un badajo, en una cáscara, quieren quemarlo, chamuscar su cola, pero el gran mono avanza, se despliega y cubre el espacio, su sombra abre un surco en el océano, su cabeza perfora nubes minerales, entra como un huracán cálido en una confusa región de manchas informes que desfiguran todo este extremo del muro, tal vez son representaciones de Lankā y de su palacio, tal vez aquí está pintado todo lo que allá hizo y vio Hanumān después de haber saltado sobre el mar—espesura indescifrable de líneas, trazos, volutas, mapas delirantes, historias grotescas, el discurso de los monzones impreso sobre esta pared decrépita.

6

Manchas: malezas: borrones. Tachaduras. Preso entre las líneas, las lianas de las letras. Ahogado por los trazos, los lazos de las vocales. Mordido, picoteado por las pinzas, los garfios de las consonantes. Maleza de signos: negación de los signos. Gesticulación estúpida, grotesca ceremonia. Plétora termina en extinción: los signos se comen a los signos. Maleza se convierte en desierto, algarabía en silencio: arenales de letras. Alfabetos podridos, escrituras quemadas, detritos verbales. Cenizas. Idiomas nacientes, larvas, fetos, abortos. Maleza: pululación homicida: erial. Repeticiones, andas perdido entre las repeticiones, eres una repetición entre las repeticiones. Artista de las repeticiones, gran maestro de las desfiguraciones, artista de las demoliciones. Los árboles repiten a los árboles, las arenas a las arenas, la jungla de letras es repetición, el arenal es repetición, la plétora es vacío, el vacío es plétora, repito las repeticiones, perdido en la maleza de signos, errante por el arenal sin signos, manchas en la pared bajo este sol de Galta, manchas en esta tarde de Cambridge, maleza y arenal, manchas sobre mi frente que congrega y disgrega paisajes inciertos. Eres (soy) es una repetición entre las repeticiones. Es eres soy: soy es eres: eres es soy. Demoliciones: me tiendo sobre mis trituraciones, yo habito mis demoliciones.

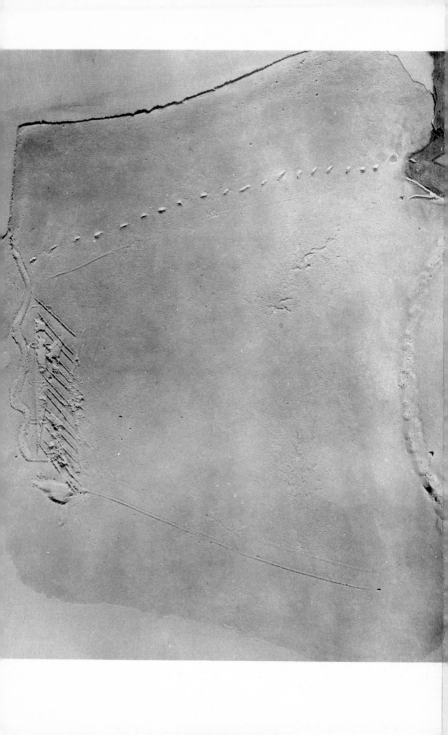

7

Espesura indescifrable de líneas, trazos, volutas, mapas: discurso del fuego sobre el muro. Una superficie inmóvil recorrida por una claridad parpadeante: temblor de agua transparente sobre el fondo quieto del manantial iluminado por invisibles reflectores. Una superficie inmóvil sobre la que el fuego proyecta silenciosas, rápidas sombras convulsas: bajo las ondulaciones del agua clarísima se deslizan con celeridad fantasmas oscuros. Uno, dos, tres, cuatro rayos negros emergen de un sol igualmente negro, se alargan, avanzan, ocupan todo el espacio que oscila y ondula, se funden entre ellos, rehacen el sol de sombra de que nacieron, emergen de nuevo de ese sol—como una mano que se abre, se cierra y una vez más se abre para transformarse en una hoja de higuera, un trébol, una profusión de alas negras antes de esfumarse del todo. Una cascada se despeña calladamente sobre las lisas paredes de un dique. Una luna carbonizada surge de un precipicio entreabierto. Un velero con las velas hinchadas echa raíces en lo alto y, volcado, es un árbol invertido. Ropas que vuelan sobre un paisaje de colinas de hollín. Continentes a la deriva, océanos en erupción. Oleajes, oleajes. El

viento dispersa las rocas ingrávidas. Un atlante esta-
lla en añicos. Otra vez pájaros, otra vez peces. Las
sombras se enlazan y cubren todo el muro. Se desenlazan. Burbujas en el centro de la superficie líquida,
círculos concéntricos, tañen allá abajo campanas su-
mergidas. Esplendor se desnuda con una mano sin
soltar con la otra la verga de su pareja. Mientras se
desnuda, el fuego de la chimenea la cubre de reflejos cobrizos. Ha dejado su ropa al lado y se abre
paso nadando entre las sombras. La luz de la hogue-
ra se enrosca en los tobillos de Esplendor y asciende
entre sus piernas hasta iluminar su pubis y su vientre. El agua color de sol moja su vello y penetra entre los labios de la vulva. La lengua templada de la
llama sobre la humedad de la crica; la lengua entra
y palpa a ciegas las paredes palpitantes. El agua de
muchos dedos abre las valvas y frota el obstinado bo-
tón eréctil escondido entre repliegues chorreantes. Se
enlazan y desenlazan los reflejos, las llamas, las ondas.
Sombras trémulas sobre el espacio que respira como
un animal, sombras de una mariposa doble que abre,
cierra, abre las alas. Nudos. Sobre el cuerpo tendido
de Esplendor sube y baja el oleaje. Sombra de un
animal bebiendo sombras entre las piernas abiertas de
la muchacha. El agua: la sombra; la luz: el silencio.
La luz: el agua; la sombra: el silencio. El silencio: el
agua; la luz: la sombra.

Manchas: malezas. Rodeado, preso entre las líneas, los lazos y trazos de las lianas. El ojo perdido en la profusión de sendas que se cruzan en todos sentidos entre árboles y follajes. Malezas: hilos que se enredan, madejas de enigmas. Enramadas verdinegras, matorrales ígneos o flavos, macizos trémulos: la vegetación asume una apariencia irreal, casi incorpórea, como si fuese una mera configuración de sombras y luces sobre un muro. Pero es impenetrable. A horcajadas sobre la alta barda, contempla el tupido bosquecillo, se rasca la peluda rabadilla y dice para sí: delicia de los ojos, derrota del entendimiento. El sol quema las puntas de los bambúes gigantes de Birmania, tan altos como delgados: sus tallos alcanzan los ciento treinta pies de altura y miden apenas diez pulgadas de diámetro. De izquierda a derecha, con extrema lentitud, mueve la cabeza y así abarca todo el panorama, de los bambúes gigantes al soto de árboles ponzoñosos. A medida que sus ojos recorren la espesura, se inscriben en su espíritu, con la misma celeridad y perfección con que se estampan sobre una hoja de papel las letras de una máquina de escribir manejada por manos expertas, el nombre y las características de cada árbol y de cada planta: la palmera de Filipinas, cuyo fruto, el buyo, perfuma el aliento y enrojece la saliva; la palmera de Doum y la de Nibung, una oriunda del Sudán y la otra de Java, las dos airosas y de ademanes sueltos; la Kitul, de la que extraen el licor alcohólico llamado «toddy»; la Talipot: su tronco tiene cien pies de alto y cuatro de ancho, al cumplir los cuarenta años de edad lanza una florescencia cremosa de veinte pies y después muere; el árbol del guaco, célebre por sus poderes curativos bajo el nombre de Palo Santo; el delgado, modesto árbol de la guatapercha; el plátano salvaje (*Musa Paradisiaca*) y la Palma del Viajero, manantial vegetal: en las vainas de sus inmensas hojas guarda litros y litros de agua potable que beben con avidez los sedientos viajeros extraviados; el árbol Upa: su corteza contiene el ipoh, un veneno que da calenturas, hinchazones, quema la sangre y mata; los arbustos de Queensland, cubiertos de flores como anémonas de mar, plantas que producen delirios y mareos; las tribus y confederaciones de hibiscos y abobras; el árbol del hule, confidente del olmeca, húmedo y chorreante de savia en la oscuridad caliente; el caobo llameante; el nogal de Okari, delicia del papú; el Jack de Ceilán, artocorpóreo hermano del árbol del pan, cuyos frutos pesan más de setenta kilos; un árbol bien conocido en Sierra Leona: el venenoso Sanny; el Rambután de Malaya: sus hojas, suaves al tacto, ocultan frutos espino-

sos; el árbol de las salchichas; el Daluk: su jugo le-
choso enceguece; la araucaria Bunya-bunya (más co-
nocida, pensó sonriendo, como Rompecabezas del Mono) y la araucaria de América, cónica torre verde botella de doscientos pies; la magnolia indostana, el
Champak citado por Vālmīki al describir la visita
de Hanumān al boscaje de Ashoka, en el palacio de
Rāvana, en Lankā; el árbol del sándalo y el falso árbol
del sándalo; la planta Dhatura, droga ponzoñosa de
los ascetas; el árbol de la goma, en perpetua tumescen-
cia y desentumescencia el Kimuska, que los ingleses
llaman «flame of the forest», masa pasional de follajes
que van del naranja al encarnado, más bien refrescan-
tes en la sequía del verano interminable; la ceiba y
el ceibo, testigos soñolientos e indiferentes de Palen-
que y de Angkor; el mamey: su fruto es una brasa
dentro de una pelota de rugby; el pimentero y su pri-
mo el turbinto; el árbol de hierro del Brasil y la
orquídea gigante de Malaya; el Nam-nam y los almendros de Java, que no son almendros sino enormes rocas esculpidas; unos siniestros árboles latinoamerica-
nos—no diré su nombre para castigarlos—con frutos
semejantes a cabezas humanas que despiden un olor
fétido: el mundo vegetal repite el horror sórdido de
la historia de ese continente; el Hora, que da frutos
tan ligeros que las brisas los transportan; el inflexi-
ble Palo Hacha; la industriosa bignonia del Brasil: tiende puentes colgantes entre un árbol y otro

gracias a los ganchillos con que trepa y a los cordoncillos con que se sujeta; la serpiente, otra trepadora equilibrista, igualmente diestra en el uso de ganchillos, moteada como una culebra; el oxipétalo enroscado entre racimos azules; la sarmentosa momóndiga; el Cocotero Doble, así llamado por ser bisexuado, también conocido como Coco del Mar porque sus frutos, bilobulados o trilobulados, envueltos entre grandes hojas y semejantes a magnos órganos genitales, se encuentran flotando en el océano Índico; el Cocotero Doble, cuya inflorescencia masculina es de forma fálica, mide tres pies de longitud y huele a ratón, en tanto que la femenina es redonda y, artificialmente polinizada, tarda diez años en producir fruto; el Goda Kaduro de Oceanía: sus semillas grises y aplastadas contienen el alcaloide de la estricnina; el árbol de la tinta; el árbol de la lluvia; el ombú: sombra bella; el baobab; el palo de rosa y el palo de Pernambuco; el ébano; el pipal, la higuera religiosa a cuya sombra el Buda venció a Mara, planta estranguladora; el aromático Karunbu Neti de Molucas y el Grano del Paraíso; el Bulu y la enredadera Dada Kehel... El Gran Mono cierra los ojos, vuelve a rascarse y musita: antes de que el sol se hubiese ocultado del todo—ahora corre entre los altos hambúes como un animal perseguido por la sombra—logré reducir el boscaje a un catálogo. Una página de enmarañada caligrafía vegetal. Maleza de signos: ¿cómo leerla, cómo abrirse paso entre esta espesura? Hanumān sonríe con placer ante la analogía que se le acaba de ocurrir: caligrafía y vegetación, arboleda y escritura, lectura y camino. Caminar: leer un trozo de terreno, descifrar un pedazo de mundo. La lectura considerada como un camino hacia... El camino como una lectura: ¿una interpretación del mundo natural? Vuelve a cerrar los ojos y se ve a sí mismo, en otra edad, escribiendo (¿sobre un papel o sobre una roca, con una pluma o con un cincel?) el acto de *Mahanātaka* en que se describe su visita al bosquecillo del palacio de Rāvana. Compara su retórica a una página de indescifrable caligrafía y piensa: la diferencia entre la escritura humana y la divina consiste en que el número de signos de la primera es limitado mientras que el de la segunda es infinito; por eso el universo es un texto insensato y que ni siquiera para los dioses es legible. La crítica del universo (y la de los dioses) se llama gramática... Turbado por este extraño pensamiento, Hanumān salta de la barda al suelo, permanece un instante agachado, se yergue, escruta los cuatro puntos cardinales y, con decisión, penetra en la maleza.

9

Frases que son lianas que son manchas de humedad que son sombras proyectadas por el fuego en una habitación no descrita que son la masa oscura de la arboleda de las hayas y los álamos azotada por el viento a unos trescientos metros de mi ventana que son demostraciones de luz y sombra a propósito de una realidad vegetal a la hora del sol poniente por las que el tiempo en una alegoría de sí mismo nos imparte lecciones de sabiduría tan pronto formuladas como destruidas por el más ligero parpadeo de la luz o de la sombra que no son sino el tiempo en sus encarnaciones y desencarnaciones que son las frases que escribo en este papel y que conforme las leo desaparecen:

no son las sensaciones, las percepciones, las imaginaciones y los pensamientos que se encienden y apagan aquí, ahora, mientras escribo o mientras leo lo que escribo:

no son lo que veo ni lo que vi, son el reverso de lo visto y de la vista—pero no son lo invisible: son el residuo no dicho,

no son el otro lado de la realidad sino el otro lado del lenguaje, lo que tenemos en la punta de la lengua y se desvanece antes de ser dicho, el otro lado que no puede ser nombrado porque es lo contrario del nombre:

lo no dicho no es esto o aquello que callamos, tampoco es ni-esto-ni-aquello: no es el árbol que digo que veo sino la sensación que siento al sentir que lo veo en el momento en que voy a decir que lo veo, una congregación insustancial pero real de vibraciones y sonidos y sentidos que al combinarse dibujan una configuración de una presencia verde-bronceada-negra-leñosa-hojosa-sonoro-silenciosa;

no, tampoco es esto, si no es un nombre menos puede ser la descripción de un nombre ni la descripción de la sensación del nombre ni el nombre de la sensación:

el árbol no es el nombre árbol, tampoco es una sensación de árbol: es la sensación de una percepción de árbol que se disipa en el momento mismo de la percepción de la sensación de árbol;

los nombres, ya lo sabemos, están huecos, pero lo que no sabíamos o, si lo sabíamos, lo habíamos olvidado, es que las sensaciones son percepciones de sensaciones que se disipan, sensaciones que se disipan al ser percepciones, pues si no fuesen percepciones ¿cómo sabríamos que son sensaciones?;

sensaciones que no son percepciones no son sensaciones, percepciones que no son nombres ¿qué son?

50

si no lo sabías, ahora lo sabes: todo está hueco;

y apenas digo todo-está-hueco, siento que caigo en la trampa: si todo está hueco, también está hueco el todo-está-hueco;

no, está lleno y repleto, todo-está-hueco está henchido de sí, lo que tocamos y vemos y oímos y gustamos y olemos y pensamos, las realidades que inventamos y las realidades que nos tocan, nos miran, nos oyen y nos inventan, todo lo que tejemos y destejemos y nos teje y desteje, instantáneas apariciones y desapariciones, cada una distinta y única, es siempre la misma realidad plena, siempre el mismo tejido que se teje al destejerse: aun el vacío y la misma privación son plenitud (tal vez son el ápice, el colmo y la calma de la plenitud), todo está lleno hasta los bordes, todo es real, todas esas realidades inventadas y todas esas invenciones tan reales, todos y todas, están llenos de sí, hinchados de su propia realidad;

y apenas lo digo, se vacían: las cosas se vacían y los nombres se llenan, ya no están huecos, los nombres son plétoras, son dadores, están henchidos de sangre, leche, semen, savia, están henchidos de minutos, horas, siglos, grávidos de sentidos y significados y señales, son los signos de inteligencia que el tiempo se hace a sí mismo, los nombres les chupan los tuétanos a las cosas, las cosas se mueren sobre esta página pero los nombres medran y se multiplican, las cosas se mueren para que vivan los nombres:

entre mis labios el árbol desaparece mientras lo digo y al desvanecerse aparece: míralo, torbellino de hojas y raíces y ramas y tronco en mitad del ventarrón, chorro de verde bronceada sonora hojosa realidad aquí en la página:

míralo allá, en la eminencia del terreno, míralo: opaco entre la masa opaca de los árboles, míralo irreal en su bruta realidad muda, míralo no dicho:

la realidad más allá del lenguaje no es del todo realidad, realidad que no habla ni dice no es realidad;

y apenas lo digo, apenas escribo con todas sus letras que no es realidad la desnuda de nombres, los nombres se evaporan, son aire, son un sonido engastado en otro sonido y en otro y en otro, un murmullo, una débil cascada de significados que se anulan:

el árbol que digo no es el árbol que veo, árbol no dice árbol, el árbol está más allá de su nombre, realidad hojosa y leñosa: impenetrable, intocable, realidad más allá de los signos, inmersa en sí misma, plantada en su propia realidad: puedo tocarla pero no puedo decirla, puedo incendiarla pero si la digo la disipo:

el árbol que está allá entre los árboles no es el árbol que digo sino una realidad que está más allá de los nombres, más allá de la palabra realidad, es la realidad tal cual, la abolición de las diferencias y la abolición también de las semejanzas;

el árbol que digo no es el árbol y el otro, el que no digo y que está allá, tras mi ventana, ya negro el tronco y el follaje todavía inflamado por el sol poniente, tampoco es el árbol sino la realidad inaccesible en que está plantado:

entre uno y otro se levanta el único árbol de la sensación que es la percepción de la sensación de árbol que se disipa, pero

¿quién percibe, quién siente, quién se disipa al disiparse las sensaciones y las percepciones?

ahora mismo mis ojos, al leer esto que escribo con cierta prisa por llegar al fin (¿cuál, qué fin?) sin tener que levantarme para encender la luz eléctrica, aprovechando todavía el sol declinante que se desliza entre las ramas y las hojas del macizo de las hayas plantadas sobre una ligera eminencia

(podría decirse que es el pubis del terreno, de tal modo es femenino el paisaje entre los domos de los pequeños observatorios astronómicos y el ondulado campo deportivo del Colegio,

podría decirse que es el pubis de Esplendor que se ilumina y se oscurece, mariposa doble, según se mueven las llamas de la chimenea, según crece y decrece el oleaje de la noche),

ahora mismo mis ojos, al leer esto que escribo, inventan la realidad del que escribe esta larga frase, pero no me inventan a mí, sino a una figura del lenguaje: al escritor, una realidad que no coincide con mi propia realidad, si es que yo tengo alguna realidad que pueda llamar propia;

no, ninguna realidad es mía, ninguna me (nos) pertenece, todos habitamos en otra parte, más allá de donde estamos, todos somos una realidad distinta a la palabra yo o a la palabra nosotros,

nuestra realidad más íntima está fuera de nosotros y no es nuestra, tampoco es una sino plural, plural e instantánea, nosotros somos esa pluralidad que se dispersa, el yo es real quizá, pero el yo no es *yo* ni *tú* ni *él,* el yo no es mío ni es tuyo,

es un estado, un parpadeo, es la percepción de una sensación que se disipa, pero ¿quién o qué percibe, quién siente?,

los ojos que miran lo que escribo ¿son los mismos ojos que yo digo que miran lo que escribo?

vamos y venimos entre la palabra que se extingue al pronunciarse y la sensación que se disipa en la percepción—aunque no sepamos quién es el que pronuncia la palabra ni quién es el que percibe, aunque sepamos que aquel que percibe algo que se disipa también se disipa en esa percepción: sólo es la percepción de su propia extinción,

vamos y venimos: la realidad más allá de los nombres no es habitable y la realidad de los nombres es un perpetuo desmoronamiento, no hay nada sólido en el universo, en todo el diccionario no hay una sola palabra sobre la que reclinar la cabeza, todo es un continuo ir y venir de las cosas a los nombres a las cosas,

no, digo que voy y vengo sin cesar pero no me he movido, como el árbol no se ha movido desde que comencé a escribir,

otra vez las expresiones inexactas: *comencé, escribo, ¿quién escribe esto que leo?*, la pregunta es reversible: ¿qué leo al escribir: *quién escribe esto que leo?*,

la respuesta es reversible, las frases del fin son el revés de las frases del comienzo y ambas son las mismas frases

que son lianas que son manchas de humedad sobre un muro imaginario de una casa destruida de Galta que son las sombras proyectadas por el fuego de una chimenea encendida por dos amantes que son el catálogo de un jardín botánico tropical que son una alegoría de un capítulo de un poema épico que son la masa agitada de la arboleda de las hayas tras mi ventana mientras el viento etcétera lecciones etcétera destruidas etcétera el tiempo mismo etcétera,

las frases que escribo sobre este papel son las sensaciones, las percepciones, las imaginaciones, etcétera, que se encienden y apagan aquí, frente a mis ojos, el residuo verbal:

lo único que queda de las realidades sentidas, imaginadas, pensadas, percibidas y disipadas, única realidad que dejan esas realidades evaporadas y que, aunque no sea sino una combinación de signos, no es menos real que ellas:

los signos no son las presencias pero configuran otra presencia, las frases se alinean una tras otra sobre la página y al desplegarse abren un camino hacia un fin provisionalmente definitivo,

las frases configuran una presencia que se disipa, son la configuración de la abolición de la presencia,

sí, es como si todas esas presencias tejidas por las configuraciones de los signos buscasen su abolición para que aparezcan aquellos árboles inaccesibles, inmersos en sí mismos, no dichos, que están más allá del final de esta frase,

en el otro lado, allá donde unos ojos leen esto que escribo y, al leerlo, lo disipan

10

Vio a muchas mujeres tendidas sobre esteras, en variados trajes y atavíos, el pelo adornado con flores; dormían bajo la influencia del vino, después de haber pasado la mitad de la noche en juegos. Y el silencio de aquella gran compañía, ahora mudas las sonoras alhajas, era el de un vasto estanque nocturno rebosante de lotos y ya sin ruido de cisnes o abejas... El noble mono se dijo a sí mismo: *Aquí se han juntado los planetas que, consumida su provisión de méritos, caen del firmamento.* Era verdad: las mujeres resplandecían como caídos meteoros en fuego. Unas se habían desplomado dormidas en medio de sus bailes y yacían, el pelo y el tocado en desorden, fulminadas entre sus ropas desparramadas; otras habían arrojado al suelo sus guirnaldas y, rotas las cintas de sus collares, desabrochados los cinturones y los vestidos revueltos, parecían yeguas desensilladas; otras más, perdidas sus ajorcas y aretes, las túnicas desgarradas y pisoteadas, semejaban enredaderas holladas por elefantes salvajes. Aquí y allá las perlas esparcidas cruzaban reflejos lunares entre los cisnes dormidos de los senos. Aquellas mujeres eran ríos: sus muslos, las riberas; las ondulaciones del pubis y del vientre, los rizos del agua bajo el viento; sus grupas y senos, las colinas y eminencias que el curso rodea y ciñe; los lotos, sus caras; los cocodrilos, sus deseos; sus cuerpos sinuosos, el cauce de la corriente. En tobillos y muñecas, antebrazos y hombros, cerca del ombligo o en las puntas de los pechos, se veían graciosos rasguños y marcas violáceas que parecían joyas... Algunas de estas muchachas saboreaban los labios y las lenguas de sus compañeras y ellas les devolvían sus besos como si fuesen los de su señor; despiertos los sentidos aunque el espíritu dormido, se hacían el amor las unas a las otras o, solitarias, estrechaban con brazos alhajados un bulto hecho de sus propias ropas o, bajo el imperio del vino y del deseo, unas dormían recostadas sobre el vientre de una compañera o entre sus muslos y otras apoyaban la cabeza en el hombro de su vecina u ocultaban el rostro entre sus pechos y así se acoplaban las unas con las otras como las ramas de una misma arboleda. Aquellas mujeres de talles estrechos se entrelazaban entre ellas al modo de las trepadoras cuando cubren los troncos de los árboles y abren sus corolas al viento de marzo. Aquellas mujeres se entretejían y encadenaban con sus brazos y piernas hasta formar una enramada intrincada y selvática (*Sundara Kund,* ix).

11

La transfiguración de sus juegos y abrazos en una ceremonia insensata les infundía simultáneamente miedo y placer. Por una parte, el espectáculo los fascinaba y aún alimentaba su lujuria: aquella pareja de gigantes eran ellos mismos; por la otra, al sentimiento de exaltación que los embargaba al verse como imágenes del fuego se aliaba otro de inquietud, resuelto en una pregunta más temerosa que incrédula: ¿eran ellos mismos? Al ver aquellas formas insustanciales aparecer y desaparecer silenciosamente, girar una en torno de la otra, fundirse y escindirse, palparse y desgarrarse en fragmentos que se desvanecían y un instante después reaparecían para inventar de nuevo otro cuerpo quimérico, les parecía asistir no a la proyección de sus acciones y movimientos sino a una función fantástica, sin relación alguna con la realidad que ellos vivían en aquel momento. Fastos ambiguos de una procesión interminable, compuesta por una sucesión de escenas incoherentes de adoración y profanación, cuyo desenlace era un sacrificio seguido por la resurrección de la víctima: otro fantasma ávido que iniciaba una escena distinta a la que acababa de transcurrir pero poseída por la misma lógica demencial.

El muro les mostraba la metamorfosis de los transportes de sus cuerpos en una fábula bárbara, enigmática y apenas humana. Sus actos vueltos un baile de espectros, este mundo redivivo en el otro. Redivivo y desfigurado: un cortejo de alucinaciones exangües.

Los cuerpos que se desnudan bajo la mirada del otro y bajo la propia, las caricias que los anudan y desanudan, la red de sensaciones que los encierra y los comunica entre ellos al incomunicarlos del mundo, los cuerpos instantáneos que forman dos cuerpos en su afán por ser un solo cuerpo—todo eso se transformaba en una trama de símbolos y jeroglíficos. No podían leerlos: inmersos en la realidad pasional de sus cuerpos, sólo percibían fragmentos de la otra pasión que se representaba en el muro. Pero si hubiesen seguido con atención el desfile de las siluetas, tampoco habrían podido interpretarlo. Sin embargo, aunque apenas si veían los cortejos de sombras, sabían que cada uno de sus gestos y posiciones se inscribía en la pared, transfigurado en un nudo de escorpiones o pájaros, manos o pescados, discos o conos, signos instantáneos y cambiantes. Cada movimiento engendraba una forma enigmática y cada forma se enlazaba a otra y otra. Gavillas de enigmas que a su vez se entretejían con otras y se acoplaban como las ramas de una arboleda o las tenazas vegetales de una trepadora. A la luz insegura del fuego se sucedían y encadenaban los trazos de las sombras. Y del mismo mo-

do que, aunque desconocían el sentido de aquel teatro de signos, no ignoraban su tema pasional y sombrío, sabían que, a pesar de estar hecha de sombras,
la enramada que tejían sus cuerpos era impenetrable.

Racimos negros colgando de una roca abrupta y
vaga pero poderosamente masculina, hendida de pronto como un ídolo abierto a hachazos: bifurcaciones,
ramificaciones, disgregaciones, coagulaciones, des-
membramientos, fusiones. Inagotable fluir de sombras y formas en las que aparecían siempre los mismos elementos—sus cuerpos, sus ropas, los pocos
muebles y objetos de la habitación—cada vez combi-
nados de una manera distinta aunque, como en un
poema, había reiteraciones, rimas, analogías, figuras
que reaparecían con cierta regularidad de oleaje: lla-
nuras de lava, tijeras volantes, violines ahorcados,
vasijas hirvientes de letras, erupciones de triángulos,
combates campales entre rectángulos y exágonos, los
miles de muertos de la peste en Londres transformados en las nubes sobre las que asciende la Virgen
cambiadas en los miles de cuerpos desnudos y enlazados de una de las colosales orgías de Harmonía cal-
culadas por Fourier vueltos las grandes llamas que
devoran el cadáver de Sardanápalo, montañas nave-
gantes, civilizaciones ahogadas en una gota de tinta
teológica, hélices plantadas en el Calvario, incendios,
incendios, el viento siempre entre las llamas, el viento
que agita las cenizas y las disipa.

Esplendor se recuesta en la estera y con las dos manos oprime uno contra otro sus pechos hasta juntarlos casi enteramente pero de modo que dejen, abajo, un estrecho canal por el que su compañero, obediente a un gesto de invitación de la muchacha, introduce su verga. El hombre está arrodillado y bajo el arco de sus piernas se extiende el cuerpo de Esplendor, la mitad superior erguida a medias para facilitar las embestidas de su pareja. Tras unos cuantos y enérgicos movimientos de ataque, la verga atraviesa el canal formado por los pechos y reaparece en la zona de sombra de la garganta, muy cerca de la boca de la muchacha. En vano ella pretende acariciar con la lengua la cabeza del miembro: su posición se lo prohíbe. Con un gesto rápido aunque sin violencia el hombre empuja hacia arriba y hacia adelante, hace saltar los senos y entre ellos emerge su verga como un nadador que vuelve a la superficie, ahora sí frente a los labios de Esplendor. Ella la humedece con la lengua, la atrae y la conduce a la gruta roja. Los cojones del hombre se hinchan. Chapaloteo. Círculos concéntricos cubren la superficie del estanque. Tañe grave el badajo de la campana submarina.

En el muro, el cuerpo del hombre es un puente colgante sobre un río inmóvil: el cuerpo de Esplendor. A medida que disminuye el chisporroteo de la chimenea, crece la sombra del hombre arrodillado sobre la muchacha hasta que invade del todo al muro.

La conjunción de las tinieblas precipita la descarga.
Blancura súbita. Caída interminable en una cueva absolutamente negra. Después se descubre tendido al
lado de ella, en una penumbra a la orilla del mundo:
más allá están los otros mundos, el de los muebles y
objetos de la habitación y el otro mundo del muro,
apenas iluminado por la luz muriente de las brasas.
Al cabo de un rato el hombre se levanta y aviva el
fuego. Su sombra es inmensa y aletea en todo el cuarto. Vuelve al lado de Esplendor y mira los reflejos
del fuego deslizarse sobre su cuerpo. Vestidura de
luz, vestidura de agua: la desnudez es más desnuda.
Ahora puede verla y abarcarla. Antes sólo había entrevisto pedazos de ella: un muslo, un codo, la palma
de una mano, un pie, una rodilla, una oreja escondida
en un mata de pelo húmedo, un ojo entre pestañas, la
suavidad de las corvas y de las ingles hasta llegar a
la zona oscura y áspera, la maleza negra y mojada entre sus dedos, la lengua entre los dientes y los labios,
cuerpo más palpado que visto, cuerpo hecho de pedazos de cuerpo, regiones de sequía o de humedad,
regiones claras o boscosas, eminencias o hendeduras,
nunca el cuerpo sino sus partes, cada parte una instantánea totalidad a su vez inmediatamente escindida,
cuerpo segmentado descuartizado despedazado, tro-
zos de oreja tobillo ingle nuca seno uña, cada pedazo un signo del cuerpo de cuerpos, cada parte entera
y total, cada signo una imagen que aparece y arde

hasta consumirse, cada imagen una cadena de vibraciones, cada vibración la percepción de una sensación que se disipa, millones de cuerpos en cada vibración, millones de universos en cada cuerpo, lluvia de universos sobre el cuerpo de Esplendor que no es cuerpo sino el río de signos de su cuerpo, corriente de vibraciones de sensaciones de percepciones de imágenes de sensaciones de vibraciones, caída de lo blanco en lo negro, lo negro en lo blanco, lo blanco en lo blanco, oleadas negras en el túnel rosa, caída blanca en la hendidura negra, nunca el cuerpo sino los cuerpos que se dividen, escisión y proliferación y disipación, plétora y abolición, partes que se reparten, signos de la totalidad que sin cesar se divide, cadena de las percepciones de las sensaciones del cuerpo total que se disipa.

Casi con timidez acaricia el cuerpo de Esplendor con la palma de la mano, desde el nacimiento de la nuca hasta los pies. Esplendor le devuelve la caricia con el mismo sentimiento de asombro y reconocimiento: también sus ojos y su tacto descubren, al mirarlo y palparlo, un cuerpo que antes sólo había entrevisto y sentido como una sucesión inconexa de visiones y sensaciones momentáneas, una configuración de percepciones destruida apenas formada. Un cuerpo que había desaparecido en su cuerpo y que, en el instante mismo de esa desaparición, había hecho desaparecer al suyo: corriente de vibraciones que se disipan en la percep-

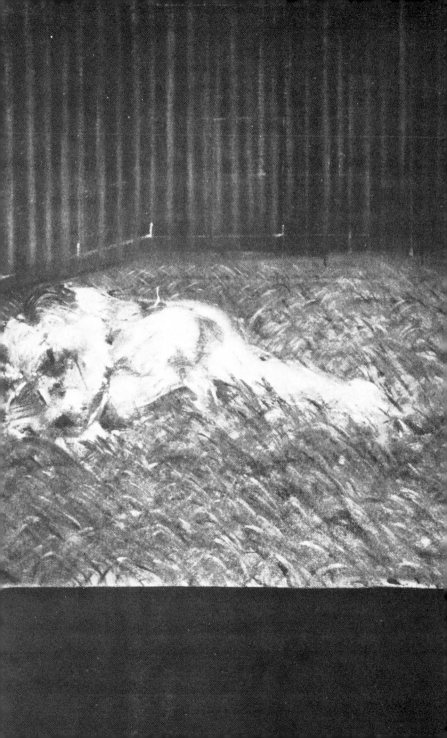

ción de su propia disipación, percepción que es ella misma dispersión de toda percepción pero que asimismo y por eso mismo, por ser percepción del desvanecimiento al desvanecerse, remonta la corriente y por el camino de las disoluciones rehace las formas y los universos hasta que se manifiesta de nuevo en un cuerpo: ese cuerpo de hombre que miran sus ojos.

En el muro, Esplendor es una ondulación, la forma yacente de valles y colinas adormecidas. Bajo la acción del fuego que redobla sus llamas y agita las sombras, esa masa de quietud y de sueño comienza de nuevo a animarse. El hombre habla y acompaña sus palabras con ademanes y gestos de manos y cabeza. Al reflejarse en la pared, esos movimientos inventan una pantomima en la que, festín y ritual, se descuartiza a una víctima y se esparcen sus partes en un espacio que cambia continuamente de forma y dirección, como las estrofas de un poema que una voz despliega sobre la móvil página del aire. Las llamas crecen y el muro se agita con violencia como una arboleda golpeada por el viento. El cuerpo de Esplendor se retuerce, se desgaja y se reparte en una, dos, tres, cuatro, cinco, seis, siete, ocho, nueve, diez porciones —hasta desvanecerse enteramente. El cuarto está totalmente iluminado. El hombre se levanta y camina de un lado para otro, ligeramente encorvado y como si hablase a solas. Su sombra inclinada parece buscar

en la superficie del muro—lisa, parpadeante y desierta: agua vacía—los restos de la desaparecida.

12

En el muro de la terraza las proezas de Hanumān en Lankā se resuelven en una borrasca de trazos que se confunden con las manchas violáceas de
la humedad. Unos pocos metros más adelante el lienzo de la pared termina en un montón de escombros.
Por la gran brecha puede verse la tierra de Galta: al
frente, colinas ceñudas y peladas que poco a poco se
disuelven en una llanura amarillenta y reseca, cuen-
ca desolada que gobierna una luz tajante; a la izquierda, hondonadas, ondulaciones y entre los declives o
sobre las cimas las aglomeraciones de las ruinas, unas
habitadas por los monos y otras por familias de parias, casi todas pertenecientes a la casta Balmik (ba-
rren y lavan los pisos, recogen la basura, acarrean las
inmundicias, son los especialistas del polvo, los dese-
chos y los excrementos, pero aquí, instalados en los
despojos y cascajos de las mansiones abandonadas,
cultivan también la tierra en las granjas cercanas y en
las tardes se reúnen en los patios y terrazas para compartir la *hooka*, discutir y contarse historias); a la
derecha, las vueltas y revueltas del camino que lleva
al santuario en la cumbre de la montaña. Terreno
erizado y ocre, mezquina vegetación espinosa y, des-

parramadas aquí y allá, grandes piedras blancas pulidas por el viento. En los recodos del camino, solitarios o en grupo, árboles poderosos: pipales de raíces colgantes, brazos nervudos y correosos con que durante siglos estrangulan a otros árboles, rompen piedras y derriban muros y edificios; eucaliptos de troncos veteados y follajes balsámicos; los *nim* de rugosa corteza mineral—en sus hendeduras y horquetas, ocultos por el verde amargo de las hojas, hay pueblos de ardillas diminutas y colas inmensas, lechuzas anacoretas, pandillas de cuervos. Cielos imperturbables, indiferentes y vacíos, salvo por las figuras que dibujan los pájaros: círculos y espirales de aguiluchos y buitres, manchas de tinta de cuervos y mirlos, disparos verdes y zigzagueantes de los pericos.

Rumor oscuro de piedras cayendo en un torrente: la polvareda del hato de cabritos negros y bayos guiados por dos pastorcitos; uno toca una tonada en un organillo de boca y el otro tararea la canción. El ruido fresco de las pisadas, las voces y las risas de una banda de mujeres que baja del santuario, cargadas de niños como si fuesen árboles frutales, sudorosas y descalzas, los brazos y tobillos cubiertos de ajorcas y brazaletes sonoros de plata—el tropel polvoso de las mujeres y el centelleo de sus vestidos, vehemencias rojas y amarillas, su andar de potros, el cascabeleo de sus risas, la inmensidad en sus ojos. Más arriba, a unos cincuenta metros del torreón decrépito, linde de la antigua ciudad, invisible desde aquí (hay que torcer hacia la izquierda y rodear una roca que obstruye el paso), el terreno se quiebra: hay una barrera de peñascos y a sus pies un estanque rodeado de construcciones irregulares. Allí los peregrinos descansan después de hacer sus abluciones. El lugar también es hostería de ascetas errantes. Entre las rocas crecen dos pipales muy venerados. El agua de la cascada es verde y el ruido que hace al caer me hace pensar en el de los elefantes a la hora del baño. Son las seis de la tarde; en estos momentos el sādhu que vive en unas ruinas cercanas deja su retiro y, completamente desnudo, se encamina hacia el tanque. Desde hace años, incluso en los fríos días de diciembre y enero, hace sus abluciones a la luz del alba y a la del crepúsculo. Aunque tiene más de sesenta años, su cuerpo es el de un muchacho y su mirada es límpida. Después del baño, cada tarde, dice sus plegarias, come la cena que le aportan los devotos, bebe una taza de té y da unas bocanadas de hachís en su pipa o ingiere un poco de bhang en una taza de leche—no para estimular su imaginación, dice, sino para calmarla. Busca la ecuanimidad, el punto donde cesa la oposición entre la visión interior y la exterior, entre lo que vemos y lo que imaginamos. A mí me gustaría hablar con el sādhu pero ni él entiende mi lengua ni yo hablo la suya. Así, de vez en cuando me limito a compartir su té, su bhang y su quietud. ¿Qué idea se hará de mí? Quizá él se hace ahora la misma pregunta, si es que por casualidad piensa en mí.

Me siento observado y me vuelvo: en el otro extremo de la terraza la banda de monos me espía. Camino hacia ellos en línea recta, sin prisa y con mi vara en alto; mi acción parece no inquietarlos y, sin moverse apenas, mientras yo avanzo, continúan mirándome con su acostumbrada, irritante curiosidad y su no menos acostumbrada, impertinente indiferencia. En cuanto me sienten cerca, saltan, echan a correr y desaparecen detrás de la balaustrada. Me aproximo al borde opuesto de la terraza y desde allí veo, a lo lejos, el espinazo del monte dibujado con una precisión feroz. Abajo, la calle y la fuente, el templo y sus dos sacerdotes, los tendajones y sus viejos, los niños que saltan y gritan, unas vacas hambrientas, más monos, un perro cojo. Todo resplandece: las bestias, las gentes, los árboles, las piedras, las inmundicias. Un resplandor sin violencia y que pacta con las sombras y sus repliegues. Alianza de las claridades, templanza pensativa: los objetos se animan secretamente, emiten llamadas, responden a las llamadas, no se mueven y vibran, están vivos con una vida distinta de la vida. Pausa universal: respiro el aire, olor acre de estiércol quemado, olor de incienso y podredumbre. Me planto en este momento de inmovilidad: la hora es un bloque de tiempo puro.

13

Maleza de líneas, figuras, formas, colores: los lazos de los trazos, los remolinos de color donde se anega el ojo, la sucesión de figuras enlazadas que se repiten en franjas horizontales y que extravían al entendimiento, como si renglón tras renglón el espacio se cubriese paulatinamente de letras, cada una distinta pero asociada a la siguiente de la misma manera y como si todas ellas, en sus diversas conjunciones, produjesen invariablemente la misma figura, la misma palabra. Y no obstante, en cada caso la figura (la palabra) posee una significación distinta. Distinta y la misma.

Arriba, la tierra inocente de la copulación animal. Un llano de hierba rala y requemada, sembrado de flores del tamaño de un árbol y de árboles del tamaño de una flor, limitado a lo lejos por un delgado horizonte rojeante—casi la línea de una cicatriz todavía fresca: es el alba o el crepúsculo—donde se funden o disuelven vagas y diminutas manchas blancas, indecisas mezquitas y palacios que son tal vez nubes. Y sobre este paisaje anodino, llenándolo completamente con su furia obsesiva y repetida, la lengua de fuera, los dientes muy blancos, los inmensos ojos fijos

71

y abiertos, parejas de tigres, ratas, camellos, elefantes, mirlos, cerdos, conejos, panteras, cuervos, perros, asnos, ardillas, caballo y yegua, toro y vaca—las ratas grandes como elefantes, los camellos del tamaño de las ardillas—todos acoplados, el macho montado sobre la hembra. Universal copulación extática.

Abajo: el suelo no es amarillo ni parduzco sino verde perico. No la tierra-tierra de las bestias sino el prado-alfombra del deseo, superficie brillante salpicada de florecitas rojas, azules y blancas, flores-astros-signos (prado: tapicería: zodíaco: caligrafía), jardín inmóvil que copia el fijo cielo nocturno que se refleja en el dibujo de la alfombra que se transfigura en los trazos del manuscrito. Arriba: el mundo en sus repeticiones; abajo: el universo es analogía. Pero también es excepción, ruptura, irregularidad: como en la parte superior, ocupando casi todo el espacio, fuentes de violencias, grandes exclamaciones, impetuosos chorros rojos y blancos, cinco veces en la hilera de arriba y cuatro en la de abajo, nueve flores enormes, nueve planetas, nueve ideogramas carnales: una nāyikā, siempre la misma, a la manera de la multiplicación de las figuras luminosas en los juegos de la pirotecnia, emergiendo nueve veces del círculo de su falda, corola azul tachonada de puntos rojos o corola roja espolvoreada de crucecitas negras y azules (el cielo como un prado y ambos reflejados en la falda femenina)—una nāyikā recostada en el jardín-alfom-

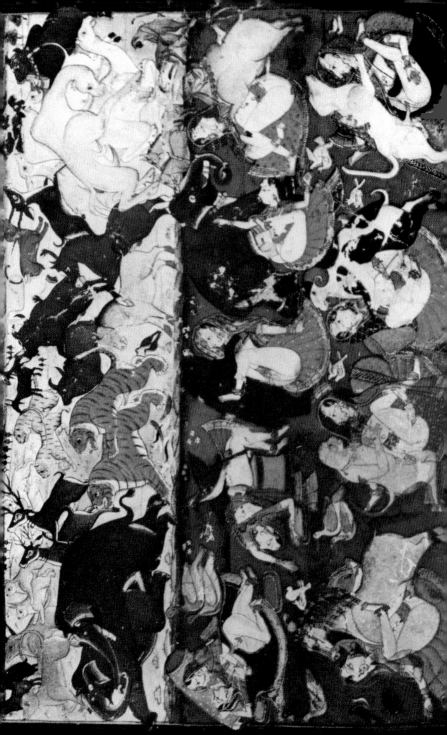

bra-zodíaco-caligrafía, tendida sobre una almohada de signos, la cabeza echada hacia atrás y cubierta a medias por un velo transparente y que deja ver el pelo negrísimo y aceitado, el perfil vuelto ídolo por los pesados adornos—pendientes de oro y rubíes, diademas de perlas en la frente, nariguera de diamantes, cintas y collares de piedras verdes y azules—, en los brazos los ríos centelleantes de las pulseras, los senos grandes y puntiagudos bajo el *choli* anaranjado, desnuda de la cintura para abajo, muy blancos los muslos y el vientre, el pubis rasurado y rosado, la vulva eminente, los tobillos ceñidos por ajorcas de cascabeles, las palmas de las manos y de los pies teñidas de rojo, las piernas al aire enlazando a su pareja nueve veces—y siempre es la misma nāyikā, nueve veces poseída simultáneamente en dos hileras, cinco arriba y cuatro abajo, por nueve amadores: un jabalí, un macho cabrío, un mono, un garañón, un toro, un elefante, un oso, un pavo real y otra nāyikā—otra vestida como ella, con sus mismas joyas y atavíos, sus mismos ojos de pájaro, su misma nariz grande y noble, su misma boca gruesa y bien dibujada, su misma cara, su misma redonda blancura—otra ella misma montada sobre ella, un consolador bicéfalo encajado en las vulvas gemelas.

Asimetría entre las dos partes: arriba, copulación entre machos y hembras de la misma especie; abajo, copulación de una hembra humana con machos de varias especies animales y con otra hembra humana—nunca con el hombre. ¿Por qué? Repetición, analogía, excepción. Sobre el espacio inmóvil—muro, cielo, página, estanque, jardín—todas esas figuras se enlazan, trazan el mismo signo y parecen decir lo mismo, pero ¿qué dicen?

14

Me detuve ante una fuente que estaba situada a mitad de la calle, en el centro de un semicírculo. El hilillo de agua que escurría del grifo había formado un charco lodoso en el suelo; lo lamía un perro de escasa pelambre parduzca, peladuras rojizas y carne magullada. (El perro, la calle, el charco: la luz de las tres de la tarde, hace mucho, sobre las piedras de un callejón en un pueblo del Valle de México, el cuerpo tendido de un campesino vestido de manta blanca, el charco de sangre, el perro que la lame, los alaridos de unas mujeres de faldas oscuras y rebozos morados que corren hacia el muerto.) Entre las construcciones casi derruidas del semicírculo que rodeaba a la fuente se encontraba una, todavía en pie, maciza y de poca altura, sus portones de par en par abiertos: el templo. Desde donde yo estaba podía verse su patio, un vasto espacio cuadrangular enlozado (acababan de lavarlo y despedía un vapor blancuzco) y a su alrededor, adosados al muro y bajo una techumbre sostenida por pilares de formas irregulares, unos de piedra y otros de mampostería, todos encalados y decorados por dibujos de color rojo y azul, grecas y ramos de flores, los altares con los dioses. Estaban separados uno del otro por rejas de madera como si fuesen jaulas. A los lados de las entradas había varios tendajones en donde unos viejos vendían a la multitud de devotos flores, palillos y barras de incienso; imágenes y fotografías en color de los dioses (representados por actores y actrices de cine) y de Gandhi, Bose y otros héroes y santos; la pasta roja y blanda (*bhasma*) con la que los fieles trazan en sus frentes signos religiosos en el momento de la ceremonia de la ofrenda; abanicos con anuncios de coca-cola y otros refrescos; plumas de pavo real; *lingas* de piedra y metal; muñecos que figuran a Durga montada en un león; mandarinas, bananos, dulces, hojas de betel y bhang; cintas de colores y talismanes; cuadernos de oraciones, biografías de santos, librillos de astrología y magia; bolsas de cacahuetes para los monos... Aparecieron dos sacerdotes a las puertas del templo. Eran obesos y sebosos. Estaban desnudos de la cintura para arriba y les cubría la parte inferior del cuerpo el *dothi*, un fino lienzo de algodón enredado entre las piernas. El cordón bramínico sobre los pechos rebosantes de nodriza; el pelo, negro y aceitado, trenzado en forma de coleta; el lenguaje suave; los ademanes untuosos. Al verme flotando entre el gentío, se me acercaron y me invitaron visitar el templo. Decliné su oferta. Ante mi negativa, comenzaron una larga perorata, pero yo, sin oírlos, me perdí entre la muchedumbre, dejando que el río humano me arrastrase.

Trepaban despacio por el camino escarpado. Era una multitud pacífica, al mismo tiempo fervorosa y riente. Estaban unidos por un deseo común: llegar allá, ver, palpar. La voluntad y sus tensiones y contradicciones no tenían parte en aquel deseo impersonal, pasivo, fluido y fluente. Alegría de la confianza: se sentían como niños entre las manos de fuerzas infinitamente poderosas e infinitamente benévolas. El acto que realizaban estaba inscrito en el calendario de los siglos, era uno de los rayos de una de las ruedas del carro del tiempo. Caminaban rumbo al santuario como lo habían hecho las generaciones idas y como lo harían las venideras. Al caminar con sus parientes, sus vecinos y sus conocidos, caminaban también con los muertos y con los que aún no nacían: la multitud visible era parte de una multitud invisible. Todos juntos caminaban a través de los siglos por el mismo camino, el camino que anula a los tiempos y une a los vivos con los muertos. Por ese camino salimos mañana y llegamos ayer: hoy.

Aunque unos grupos estaban compuestos únicamente por hombres o por mujeres, la mayoría estaban formados por familias enteras, de los abuelos a los nietos y biznietos, y de los lazos consanguíneos a los religiosos y de casta. Algunos marchaban por parejas: las de viejos hablaban sin parar, pero las de recién casados caminaban en silencio, como si les asombrase estar uno al lado del otro. Y los solitarios: los mendigos lastimosos o terribles—corcovados, ciegos, gafos, bubosos, elefansíacos, leprosos, paralíticos, cretinos babeantes, monstruos quemados por la enfermedad y esculpidos por las fiebres y las hambres—y los otros, los erguidos y arrogantes, riendo con risa salvaje o mudos de ojos llameantes de inspirado, los sadhúes, los ascetas vagamundos cubiertos sólo por un taparrabo o envueltos en un manto azafrán, las cabelleras rizadas y teñidas de rojo o rapados enteramente salvo el copete de la coronilla, los cuerpos espolvoreados de cenizas humanas o de estiércol de vaca, los rostros pintorreados, en la mano derecha una vara en forma de tridente y en la izquierda una escudilla de latón: su único bien, solos o acompañados de un muchachillo, su discípulo y, a veces, su gitón.

Poco a poco trasponíamos cumbres y declives, ruinas y más ruinas. Unos corrían y luego se tendían a descansar bajo los árboles o entre los huecos de las peñas; los más caminaban pausadamente y sin detenerse; los cojos y estropiados se arrastraban con pena y a los inválidos y paralíticos los llevaban en andas. Polvo, olor a sudor, especias, flores pisoteadas, dulzuras nauseabundas, rachas hediondas, rachas de frescura. Pequeños radios portátiles, acarreados por bandas de muchachos, lanzaban al aire canciones dulzonas y pegajosas; las crías, agarradas a los pechos o a las faldas de las madres, berreaban; los devotos salmodiaban himnos; había los que conversaban entre ellos, los que reían con grandes risotadas y los que lloraban o hablaban solos—murmullo incesante, voces, llantos, juramentos, exclamaciones, millones de sílabas que se funden en un rumor enorme e incoherente, el rumor humano abriéndose paso entre los otros rumores aéreos y terrestres, los chillidos de los monos, la cháchara de los cuervos, el ruido de mar de los follajes, el estruendo del viento corriendo entre los cerros.

El viento no se oye a sí mismo pero nosotros le oímos; las bestias se comunican entre ellas pero nosotros hablamos a solas con nosotros mismos y nos comunicamos con los muertos y con los que todavía no nacen. La algarabía humana es el viento que se sabe viento, el lenguaje que se sabe lenguaje y por el cual el animal humano sabe que está vivo y, al saberlo, aprende a morir.

Rumor de unos cuantos cientos de hombres, mujeres y niños que caminan y hablan: rumor promiscuo de dioses, antepasados muertos, niños no nacidos y vivos que esconden entre la camisa y el pecho, con sus moneditas de cobre y sus talismanes, su miedo a morir. El viento no se queja: el hombre es el que oye, en la queja del viento, la queja del tiempo. El hombre se oye y se mira en todas partes: el mundo es su espejo; el mundo ni nos oye ni se mira en nosotros: nadie nos ve, nadie se reconoce en el hombre. Para aquellas colinas éramos unos extraños, como los primeros hombres que, hacía milenios, las habían recorrido. Pero los que caminaban conmigo no lo sabían: habían abolido la distancia—el tiempo, la historia, la línea que separa al hombre del mundo. Su caminar era la ceremonia inmemorial de la abolición de las diferencias. Los peregrinos sabían algo que yo ignoraba: el ruido de las sílabas humanas era un rumor más entre los otros rumores de aquella tarde. Un rumor diferente y, no obstante, idéntico a los chillidos de los monos, los gritos de los pericos y el mujido del viento. Saberlo era reconciliarse con el tiempo, reconciliar los tiempos.

15

Mientras creaba a los seres, Prajāpati sudaba, se sofocaba y de su gran calor y fatiga, de su sudor, brotó Esplendor. Apareció de pronto: erguida, resplandeciente, radiante, centelleante. Apenas la vieron, los dioses la desearon. Dijeron a Prajāpati: «Deja que la matemos; así nos la repartiremos entre todos». Él les respondió: «¡Vamos! Esplendor es una mujer: no se mata a las mujeres. Pero, si quieren, se la pueden repartir—con tal que la dejen viva». Los dioses se la repartieron. Esplendor corrió a quejarse ante Prajāpati: «¡Me han quitado todo!» Él la aconsejó: «Pídeles que te devuelvan lo que te arrebataron. Haz un sacrificio». Esplendor tuvo la visión de la ofrenda de las diez porciones del sacrificio. Después dijo la oración de la invitación y los dioses aparecieron. Entonces dijo la oración de la adoración, al revés, comenzando por el fin, para que todo regresase a su estado original. Los dioses concedieron la devolución. Esplendor tuvo la visión de las ofrendas adicionales. Las recitó y las ofreció a los diez. A medida que cada uno recibía su oblación, devolvía su porción a Esplendor y desaparecía. Así volvió a ser Esplendor.

En esta secuencia litúrgica hay diez divinos, diez

oblaciones, diez recompensas, diez porciones del grupo del sacrificio y el Poema que la dice consiste en estrofas de versos de diez sílabas. El Poema no es otro que Esplendor. (*Satapatha-Brahmana*, 11-4-3)

16

Aparece, reaparece la palabra *reconciliación*. Durante una larga temporada me alumbraba con ella, bebía y comía de ella. *Liberación* era su hermana y su antagonista. El hereje que abjura de sus errores y regresa a la iglesia, se reconcilia; la purificación de un lugar sagrado que ha sido profanado, es una reconciliación. La separación es una falta, un extravío. Falta: no estamos completos; extravío: no estamos en nuestro sitio. Reconciliación une lo que fue separado, hace conjunción de la escisión, junta a los dispersos: volvemos al todo y así regresamos a nuestro lugar. Fin del exilio. Liberación abre otra perspectiva: ruptura de los vínculos y ligamentos, soberanía del albedrío. Conciliación es dependencia, sujeción; liberación es autosuficiencia, plenitud del uno, excelencia del único. Liberación: prueba, purgación, purificación. Cuando estoy solo no estoy solo: estoy conmigo; estar separado no es estar escindido: es ser uno mismo. Con todos, estoy desterrado de mí mismo; a solas, estoy en mi todo. Liberación no es únicamente fin de los otros y de lo otro, sino fin del yo. Vuelta del yo —no a sí mismo: a lo mismo, regreso a la mismidad.

¿Liberación es lo mismo que reconciliación? Aunque reconciliación pasa por liberación y liberación por reconciliación, se cruzan sólo para separarse: reconciliación es identidad en la concordancia, liberación es identidad en la diferencia. Unidad plural, unidad unimismada. Otramente: mismamente. Yo y los otros, mis otros; yo en mí mismo, en lo mismo. Reconciliación pasa por disensión, desmembración, ruptura y liberación. Pasa y regresa. Es la forma original de la revolución, la forma en que la sociedad se perpetúa a sí misma y se reengendra: regeneración del pacto social, regreso a la pluralidad original. Al comienzo no había Uno: jefe, dios, yo; por eso, la revolución es el fin del Uno y de la unidad indistinta, el comienzo (recomienzo) de la variedad y sus rimas, sus aliteraciones y composiciones. La degeneración de la revolución, como se ve en los modernos movimientos revolucionarios, todos ellos sin excepción transformados en cesarismos burocráticos y en idolatría institucional al Jefe y al Sistema, equivale a la *descomposición* de la sociedad, que deja de ser un concierto plural, una *composición* en el sentido propio de la palabra, para petrificarse en la máscara del Uno. La degeneración consiste en que la sociedad repite infinitamente la imagen del Jefe, que no es otra que la máscara de la *descompostura*: la desmesura e impostura del César. Pero no hubo ni hay uno: cada uno es un todo. Pero no hay todo: siempre falta uno. Ni entre todos somos uno, ni cada uno es todo. No hay uno ni todo: hay unos y todos. Siempre el plural, siempre la plétora incompleta, el nosotros en busca de su cada uno: su rima, su metáfora, su complemento diferente.

Me sentía separado, lejos—no de los otros y de las cosas, sino de mí mismo. Cuando me buscaba por dentro, no me encontraba; salía y tampoco afuera me reconocía. Adentro y afuera encontraba siempre a otro. Al mismo siempre otro. Mi cuerpo y yo, mi sombra y yo, su sombra. Mis sombras: mis cuerpos: otros otros. Dicen que hay gente vacía: yo estaba lleno, repleto de mí. Sin embargo, nunca estaba en mí y nunca podía entrar en mí: siempre había otro. Siempre era otro. ¿Suprimirlo, exorcisarlo, matarlo? Apenas lo veía, desaparecía. ¿Hablar con él, convercerlo, pactar? Lo buscaba aquí y aparecía allá. No tenía sustancia, no ocupaba lugar. Nunca estaba donde yo estaba; siempre allá: acá; siempre acá: allá. Mi previsible invisible, mi visible imprevisible. Nunca el mismo, nunca en el mismo sitio. Nunca el mismo sitio: afuera era adentro, adentro era otra parte, aquí era ninguna parte. Nunca un sitio. Destierros: lejanías: siempre allá. ¿Dónde? Aquí. El otro no se ha movido: nunca me he movido de mi sitio. Está aquí. ¿Quién? Yo mismo: el mismo. ¿Dónde? En mí: desde el principio caigo en mí y sigo cayendo. Desde el principio. Yo siempre voy adonde estoy, yo nunca llego adonde soy. Siempre yo siempre en otra parte:

85

el mismo sitio, el otro yo. La salida está en la entrada; la entrada—no hay entrada, todo es salida. Aquí adentro siempre es afuera, aquí siempre es allá, el otro siempre en otra parte. Allá está siempre el mismo: él mismo: yo mismo: el otro. Ése soy yo: eso.

¿Con quién podía reconciliarme: conmigo o con el otro—los otros? ¿Quiénes eran, quiénes éramos? Reconciliación no era idea ni palabra: era una semilla que, día tras día primero y hora tras hora después, había ido creciendo hasta convertirse en una inmensa espiral de vidrio por cuyas venas y filamentos corrían luz, vino tinto, miel, humo, fuego, agua de mar y agua de río, niebla, materias hirvientes, torbellinos de plumas. Ni termómetro ni barómetro: central de energía que se transforma en surtidor que es un árbol de ramas y hojas de todos los colores, planta de brasas en invierno y planta de frescura en verano, sol de claridad y sol de sombra, gran albatros hecho de sal y aire, molino de reflejos, reloj en el que cada hora se contempla en las otras hasta anularse. Reconciliación era una fruta—no la fruta sino su madurez, no su madurez sino su caída. Reconciliación era un planeta ágata y una llama diminuta, una muchacha, en el centro de esa canica incandescente. Reconciliación era ciertos colores entretejidos hasta convertirse en una estrella fija en la frente del año o a la deriva en aglomeraciones tibias entre las estribaciones de las estaciones; la vibración de un grano de luz encerrado en la pupila de un gato echado en un ángulo del mediodía; la respiración de las sombras dormidas a los pies del otoño desollado; las temperaturas ocres, las rachas datiladas, bermejas, hornazas y las pozas verdes, las cuencas de hielo, los cielos errabundos y en harapos de realeza, los tambores de la lluvia; soles del tamaño de un cuarto de hora pero que contienen todos los siglos; arañas que tejen redes traslúcidas para bestezuelas infinitesimales, ciegas y emisoras de claridades; follajes de llamas, follajes de agua, follajes de piedra, follajes magnéticos. Reconciliación era matriz y vulva pero también párpados, provincias de arena. Era noche. Islas, la gravitación universal, las afinidades electivas, las dudas de la luz que a las seis de la tarde no sabe si quedarse o irse. Reconciliación no era yo. No era ustedes ni casa, ni pasado o futuro. No era allá. No era regreso, vuelta al país de ojos cerrados. Era salir al aire, decir: *buenos días*.

17

El muro tenía una longitud de unos doscientos metros. Era alto y almenado. Salvo en trechos que dejaban ver una pintura todavía azul y roja, lo cubrían grandes manchas negras, verdes y moradas: las huellas digitales de las lluvias y los años. Un poco más abajo de las almenas, en sucesión horizontal a lo largo del lienzo, se veían unos balconcillos, cada uno rematado por un domo a la manera de un parasol. Las celosías eran de madera, todas despintadas y comidas por los años. Algunos de los balcones conservaban huellas de los dibujos que los habían adornado: guirnaldas de flores, ramas de almendros, periquillos estilizados, conchas marinas, mangos. No había más entrada que una, colosal, en el centro: un arco sarraceno en forma de herradura. Antes había sido el portal de los elefantes y de ahí que su tamaño, en relación con las dimensiones del conjunto, resultase descomunal y desproporcionado. Cogí a Esplendor de la mano y atravesamos juntos el arco, entre una doble fila de mendigos. Estaban sentados en el suelo y al vernos pasar salmodiaron con más fuerza sus súplicas gangosas, golpeando con exaltación sus escudillas y mostrando sus muñones y sus llagas. Con grandes gesticulaciones se nos acercó un muchachillo, barbotando no sé qué. Tenía unos doce años, era extraordinariamente flaco, la cara inteligente y los ojos tan negros como vivos. La enfermedad le había abierto en la mejilla izquierda un gran agujero por el que podían verse parte de las muelas, la encía y, más roja aún, moviéndose entre burbujas de saliva, la lengua—un diminuto anfibio carmesí poseído por una agitación furiosa y obscena que lo hacía revolverse continuamente dentro de su cueva húmeda. Hablaba sin parar. Aunque subrayaba con las manos y los gestos su imperioso deseo de ser escuchado, era imposible comprenderlo porque, cada vez que articulaba una palabra, el agujero aquel emitía silbidos y resoplidos que desfiguraban su discurso. Fastidiado por nuestra incomprensión, se perdió entre el gentío. Pronto lo vimos rodeado por un grupo que celebraba sus trabalenguas y travesuras verbales. Descubrimos que su locuacidad no era desinteresada: no era un mendigo sino un poeta que jugaba con las deformaciones y descomposiciones de la palabra.

La plaza era una explanada rectangular que seguramente había sido el «patio» de audiencia, suerte de hall exterior al palacio propiamente dicho, aunque dentro de su recinto, en el que los señores acostumbraban recibir a los extraños y a sus vasallos. El piso era de tierra suelta; antes había estado cubierto por baldosas del mismo color rosado que las paredes. Tres muros cercaban a la explanada: uno al sur, otro al este y otro al oeste. El del sur era el del Portal por donde habíamos entrado; los otros dos eran menos altos y largos. El del oeste también estaba almenado, mientras que el del este terminaba en un alero de tejas rosadas. La entrada de ambos era, como la del Portal, un arco en forma de herradura, sólo que más pequeño. En el del este se repetía la sucesión de balconcillos de la cara exterior del muro del Portal, todos igualmente rematados por domos—parasoles y, asimismo, provistos de celosías de madera, la mayoría ya en pedazos. Detrás de esas celosías se escondían las mujeres en los días de recepciones y desde ahí, sin ser vistas, podían contemplar el espectáculo. Enfrente del muro principal, en el lado norte del paralelogramo, había un edificio no muy alto y al que se ascendía por una escalinata que, a pesar de sus dimensiones más bien modestas, poseía cierta secreta nobleza. La planta baja no era más que un pesado cubo de argamasa sin otra función que servir de plataforma al piso superior, una vasta sala rectangular rodeada por una arquería. Los arcos reproducían, en pequeño, los del patio y estaban sostenidos por columnas de formas caprichosas, cada una diferente de las otras: cilíndricas, cuadradas, salomónicas. Coronaba al edificio un gran número de pequeñas cúpulas. El tiempo y los soles las habían pelado y ennegrecido; parecían cabezas cercenadas y carbonizadas. A veces brotaban de ellas pericos, mirlos, cuervos, murciélagos, y entonces era como si aquellas cabezas, aún cortadas, emitiesen todavía pensamientos.

El conjunto era teatral, efectista. Doble ficción: la que representaban aquellos edificios (espejismos y nostalgias de un mundo extinto) y la que se había representado dentro de sus muros (ceremonias con que señores impotentes celebraban los fastos de un poder a punto de extinguirse). Arquitectura para verse vivir, substitución del acto por la imagen y de la realidad por la fábula. No, soy inexacto, ni imagen ni fábula: imperio de la obsesión. En las decadencias la obsesión es soberana y suplanta al destino. La obsesión y sus miedos, sus codicias, sus fobias, su monólogo hecho de confesiones-acusaciones-lamentaciones. Y esto precisamente, la obsesión, redimía al palacete de su mediocridad y su banalidad. A pesar de su hibridismo amanerado, aquellos patios y salas habían estado habitados por quimeras de pechos redondos y garras buidas. Arquitectura novelesca, al mismo tiempo caballeresca y galante, perfumada y empapada de sangre. Viva y fantástica, irregular y pintoresca, imprevisible. Arquitectura pasional: mazmorras y jardines, fuentes y degollaciones, una religión erotizada y un erotismo estético, las caderas de la nāyikā y los miembros del descuartizado. Mármol y sangre. Terrazas, salas de fiesta, pabellones de música en lagos artificiales, alcobas decoradas por millares de espejitos que dividen y multiplican los cuerpos hasta volverlos infinitos. Proliferación, repetición, anulación: arquitectura contaminada por el delirio, piedras corroídas por el deseo, estalactitas sexuales de la muerte. Faltos de poder y sobre todo de tiempo (la arquitectura se edifica no sólo sobre un espacio sólido sino sobre un tiempo igualmente sólido, o capaz de resistir las embestidas de la fortuna, pero ellos estaban condenados a desaparecer y lo sabían), los príncipes de Rajastán levantaron edificios que no estaban hechos para durar sino para deslumbrar y fascinar. Ilusionismo de castillos que en lugar de disiparse en el aire se asentaban en el agua: la arquitectura convertida en una geometría de reflejos flotando sobre un estanque y que el menor soplo del aire disipa... Ahora en la gran explanada no había estanques ni músicos y en los balconcillos no se escondían las nāyikās: ese día los parias de la casta Balmik celebraban la fiesta de Hanumān y la irrealidad de aquella arquitectura y la realidad de su ruina presente se resolvían en un tercer término, brutalmente inmediato y alucinante

18

La arboleda se ha ennegrecido y se ha vuelto un gigantesco amontonamiento de sacos de carbón abandonados no se sabe por quién ni por qué en mitad del campo. Una realidad bruta que no dice nada excepto que es (pero ¿qué es?) y que a nada se parece, ni siquiera a esos inexistentes sacos de carbón con que, ineptamente, acabo de compararla. Mi excusa: los gigantescos sacos de carbón son tan improbables como la arboleda es ininteligible. Su ininteligibilidad —una palabra como un ferrocarril a punto siempre de descarrilarse o de perder un furgón— le viene de su exceso de realidad. Es una realidad irreductible a las otras realidades. La arboleda es intraducible: es ella y sólo ella. No se parece a las otras cosas ni a las otras arboledas; tampoco se parece a ella misma: cada instante es otra. Tal vez exagero: después de todo, siempre es la misma arboleda y sus cambios incesantes no la transforman ni en roca ni en locomotora; además, no es única: el mundo está lleno de arboledas como ella. ¿Exagero? Sí, esta arboleda se parece a las otras pues de otra manera no se llamaría arboleda sino que tendría un nombre propio; al mismo tiempo, su realidad es única y merecería tener de veras un nombre propio. Todos merecen (merecemos) un nombre propio y nadie lo tiene. Nadie lo tendrá y nadie lo ha tenido. Ésta es nuestra verdadera condenación, la nuestra y la del mundo. Y en esto consiste lo que llaman los cristianos el estado de «naturaleza caída». El paraíso esta regido por una gramática ontológica: las cosas y los seres son sus nombres y cada nombre es propio. La arboleda no es única puesto que tiene un nombre común (es naturaleza caída), pero es única puesto que ningún nombre es verdaderamente suyo (es naturaleza inocente). Esta contradicción desafía al cristianismo y hace añicos su lógica.

El que la arboleda no tenga nombre y no el que la vea desde mi ventana, al declinar la tarde, borrón contra el cielo impávido del otoño naciente, mancha que avanza poco a poco sobre esta página y la cubre de letras que simultáneamente la describen y la ocultan —el que no tenga nombre y el que *no pueda tenerlo nunca*, es lo que me impulsa a hablar de ella. El poeta no es el que nombra las cosas, sino el que disuelve sus nombres, el que descubre que las cosas no tienen nombre y que los nombres con que las llamamos no son suyos. La crítica del paraíso se llama lenguaje: abolición de los nombres propios; la crítica del lenguaje se llama poesía: los nombres se adelgazan hasta la transparencia, la evaporación. El el primer caso, el mundo se vuelve lenguaje; en el segundo, el lenguaje se convierte en mundo. Gracias al poeta el mundo se

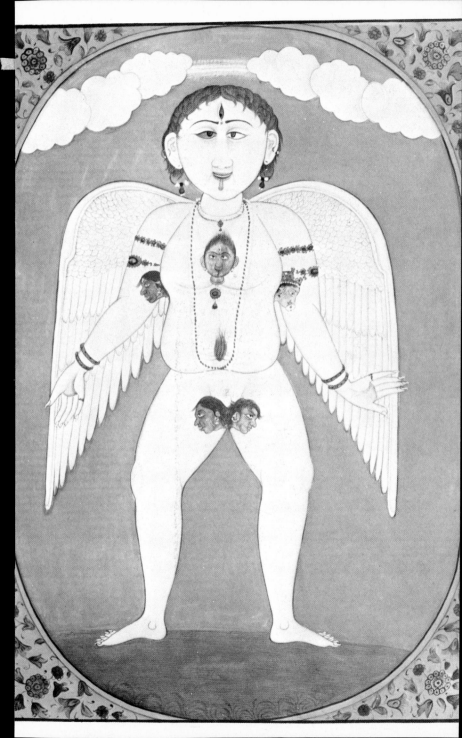

queda sin nombres. Entonces, por un instante, podemos verlo tal cual es—en *azul adorable*. Y esa visión nos abate, nos enloquece; si las cosas son pero no tienen nombre: *sobre la tierra no hay medida alguna*.

Hace un instante, mientras ardía en el brasero solar, la arboleda no parecía ser una realidad ininteligible sino un emblema, una configuración de símbolos. Un criptograma ni más ni menos indescifrable que los enigmas que inscribe el fuego en la pared con las sombras de dos amantes, la maraña de árboles que vio Hanumān en el jardín de Rāvana en Lankā y que Vālmīki convirtió en un tejido de nombres que leemos ahora como un fragmento del *Rāmāyana*, el tatuaje de los monzones y los soles en el muro de la terraza de aquel palacete de Galta o la pintura que describe los acoplamientos bestiales y lesbianos de la nāyikā como una excepción (¿o una analogía?) del amor universal. Trasmutación de las formas y sus cambios y movimientos en signos inmóviles: escritura; disipación de los signos: lectura. Por la escritura abolimos las cosas, las convertimos en sentido; por la lectura, abolimos los signos, apuramos el sentido y, casi inmediatamente, lo disipamos: el sentido vuelve al amasijo primordial. La arboleda no tiene nombre y estos árboles no son signos: son árboles. Son reales y son ilegibles. Aunque aludo a ellos cuando digo: *estos árboles son ilegibles*, ellos no se dan por aludidos. No dicen, no significan: están allí, nada más están. Yo los puedo derribar, quemar, cortar, convertir en mástiles, sillas, barcos, casas, ceniza; puedo pintarlos, esculpirlos, describirlos, convertirlos en símbolos de esto o de aquello (inclusive de ellos mismos) y hacer otra arboleda, real o imaginaria, con ellos; puedo clasificarlos, analizarlos, reducirlos a una fórmula química o a una proporción matemática y así traducirlos, convertirlos en lenguaje—pero *estos* árboles, estos que señalo y que están más allá, siempre más allá, de mis signos y de mis palabras, intocables inalcanzables impenetrables, son lo que son y ningún nombre, ninguna combinación de signos los dice. Y son irrepetibles: nunca volverán a ser lo que ahora mismo son.

La arboleda ya es parte de la noche. Su parte más negra, más noche. Tanto lo es que, sin remordimientos, escribo que es una pirámide de carbón, una puntiaguda geometría de sombras rodeada por un mundo de vagas cenizas. En el patio de los vecinos todavía hay luz. Impersonal, póstuma y a la que conviene admirablemente la palabra *fijeza*, aunque sepamos que sólo durará unos minutos, porque es una luz que parece oponerse al cambio incesante de las cosas y de ella misma. Claridad final e imparcial de ese momento de transparencia en que las cosas se vuelven presencias y coinciden con ellas mismas. Es el fin (provisional, cíclico) de las metamorfosis. Aparición: sobre el cemento cuadriculado del patio, prodigiosamente ella misma sin ostentación ni vergüenza, la mesita de madera negra sobre la que (hasta ahora lo descubro) se destaca, en un ángulo, una mancha oval atigrada, estriada por afiladas líneas rojizas. En el rincón opuesto, el entreabierto bote de basura arde en una llamarada quieta, casi sólida. La luz resbala por el muro de ladrillo como si fuese agua. Un agua quemada, un aguafuego. El bote de basura desborda de inmundicias y es un altar que se consume en una exaltación callada: los detritos son una gavilla de llamas bajo el resplandor cobrizo de la cubierta oxidada. Transfiguración de los desperdicios—no, no transfiguración: revelación de la basura como lo que es realmente: basura. No puedo decir «gloriosa basura» porque el adjetivo la mancharía. La mesita de madera negra, el bote de basura: presencias. Sin nombre, sin historia, sin sentido, sin utilidad: porque sí.

Las cosas reposan en sí mismas, se asientan en su realidad y son injustificables. Así se ofrecen a los ojos, al tacto, al oído, al olfato—no al pensamiento. No pensar: ver, hacer del lenguaje una transparencia. Veo, oigo los pasos de la luz en el patio; poco a poco se retira del muro de enfrente, se proyecta en el de la izquierda y lo cubre con un manto traslúcido de vibraciones apenas perceptibles: transubstanciación del ladrillo, combustión de la piedra, instante de incandescencia de la materia antes de despeñarse en su ceguera—en su realidad. Veo, oigo, toco la paulatina petrificación del lenguaje que ya no significa, que sólo dice: mesa, bote de basura, sin decirlos realmente, mientras la mesa y el bote desaparecen en el patio completamente a oscuras... La noche me salva. No podemos *ver* sin peligro de enloquecer: las cosas nos revelan, sin revelar nada y por su simple estar ahí frente a nosotros, el vacío de los nombres, la falta de mesura del mundo, su mudez esencial. Y a medida que la noche se acumula en mi ventana, yo siento que no soy de aquí, sino de allá, de ese mundo que acaba de borrarse y aguarda la resurrección del alba. De allá vengo, de allá venimos todos y allá hemos de volver. Fascinación por el otro lado, seducción por la vertiente no humana del universo: perder el nombre, perder la medida. Cada individuo, cada cosa, cada instante: una realidad única, incomparable, inconmensurable. Volver al mundo de los nombres propios.

ondulación rosa y verde, amarilla y morada, oleajes
de mujeres, cabrilleo de blusas consteladas de pedaci-
tos de espejos o espolvoreadas de lentejuelas, continuo florecer de los rosados y los azules de los tur-
bantes, son flamencos y garzas estos hombres flacos
y zancudos, el sudor resbala en ríos por el basalto de
sus pómulos y humedece sus bigotes agresivamente
retorcidos en forma de cuernos de toro, destella el
aro de metal que llevan en la oreja, hombres de gra-
ves ojos de pozo, revoloteo de telas de mujer, listo-
nes, gasas, transparencias, repliegues cómplices donde se esconden las miradas, cascabeleo de ajorcas y
brazaletes, vaivén de caderas, fulgor de pendientes
y amuletos de vidrios de colores, racimos de viejos y
viejas y niños arrastrados por el ventarrón de la fiesta,
maricones devotos de Krishna de faldas verdegay, flores en el pelo y grandes ojeras, riendo a grandes risotadas, hervía la plaza en sonidos, olores, sabores, gigantesca canasta desbordante de frutas almagradas,
acaneladas, jaldes, granates, moradas, negras, rugosas,
cristalinas, moteadas, lisas, pulidas, espinosas, frutas
llameantes, soles de frescura, sudor humano y sudor
de bestias, incienso, canela, estiércol, barro y almizcle,

jazmín y mango, leche agria, olores y sabores, sabores y colores, nuez de betel, clavo, cal, cilantro, polvos de arroz, perejil, chiles verdes y morados, madreselva, charcos podridos, boñiga quemada, limones, orina, caña de azúcar, el escupitajo sangriendo del betel, el tajo de la sandía, la granada y sus celdillas: monasterio de sangre, la guayaba: cueva de perfume, risotadas, blancuras desparramadas, crótalos y exclamaciones, ayes y alas, gong y panderos, el rumor de follajes de las faldas de las mujeres, el ruido de lluvia de los pies descalzos sobre el polvo, risas y quejas: estruendo de agua despeñada, bote y rebote de gritos y cantos, algarabías de niños y pájaros, algaraniñas y pajarabías, plegarias de los perendigos, babeantes súplicas de los mendigrinos, gluglú de dialectos, hervor de idiomas, fermentación y efervescencia del líquido verbal, burbujas y gorgoritos que ascienden del fondo de la sopa babélica y estallan al llegar al aire, la multitud y su oleaje, su multieje y su multiola, su multialud, el multisol sobre la soledumbre, la pobredumbre bajo el alasol, el olasol en su soltitud, el solalumbre sobre la podrecumbre, la multisola

20

Sobre la pared de enfrente se proyecta una claridad tranquila. Sin duda el vecino ha subido a su estudio, ha encendido la lámpara que está cerca de la ventana y a su luz lee apaciblemente *The Cambridge's Evening News*. Abajo, al pie del muro, brotan las margaritas blanquísimas entre la oscuridad de las yerbas y plantas del prado minúsculo. Veredas transitadas por seres más pequeños que una hormiga, castillos construidos en un milímetro cúbico de ágata, ventisqueros del tamaño de un grano de sal, continentes a la deriva en una gota de agua. Bajo las hojas y entre los tallos mínimos del prado, pulula una población prodigiosa que pasa continuamente del reino vegetal al animal y de éste al mineral o al fantástico. Esa ramita que un soplo de aire mueve débilmente era hace un instante una bailarina de senos de peonza y de frente perforada por un rayo de luz. Prisionero en la fortaleza que inventan los reflejos lunares de la uña del dedo meñique de una niña, un rey agoniza desde hace un millón de segundos. El microscopio de la fantasía descubre criaturas distintas a las de la ciencia pero no menos reales; aunque esas visiones son nuestras, también son de un tercero: alguien las mira (¿se mira?) a través de nuestra mirada.

Pienso en Richard Dadd pintando durante nueve años, de 1855 a 1864, *The fairy-feller's masterstroke* en el manicomio de Broadmoor. Un cuadro de dimensiones más bien reducidas que es un estudio minucioso de unos cuantos centímetros de terreno—yerbas, margaritas, bayas, guijarros, zarcillos, avellanas, hojas, semillas—en cuyas profundidades aparece una población de seres diminutos, unos salidos de los cuentos de hadas y otros que son probablemente retratos de sus compañeros de encierro y de sus carceleros y guardianes. El cuadro es un espectáculo: la representación del mundo sobrenatural en el teatro del mundo natural. Un espectáculo que contiene otro, paralizador y angustioso, cuya tema es la expectación: los personajes que pueblan el cuadro esperan un acontecimiento inminente. El centro de la composición es un espacio vacío, punto de intersección de todas las fuerzas y miradas, claro en el bosque de alusiones y enigmas; en el centro de ese centro hay una avellana sobre la que ha de caer el hacha de piedra del leñador. Aunque no sabemos qué esconde la avellana, adivinamos que, si el hacha la parte en dos, todo cambiará: la vida volverá a fluir y se habrá roto el maleficio que petrifica a los habitantes del cuadro. El leñador es joven y robusto, está vestido de paño (o tal vez de cuero) y cubre su cabeza una gorra que deja escapar un pelo ondulado y rojizo. Bien asentado en el suelo

pedregoso, empuña en lo alto, con ambas manos, el hacha. ¿Es Dadd? ¿Cómo saberlo, si vemos la figura de espaldas? No obstante, aunque sea imposible afirmarlo con certeza, no resisto a la tentación de identificar la figura del leñador con la del pintor. Dadd estaba encerrado en el manicomio porque, durante una excursión en el campo, presa de un ataque de locura furiosa, había asesinado a hachazos a su padre. El leñador se dispone a repetir el acto pero las consecuencias de esa repetición simbólica serán exactamente contrarias a las que produjo el acto original; en el primer caso, encierro, petrificación; en el segundo, al romper la avellana, el hacha del leñador rompe el hechizo. Un detalle turbador: el hacha que ha de acabar con el hechizo de la petrificación es un hacha de piedra. Magia homeopática.

A todos los demás personajes les vemos las caras. Unos emergen entre los accidentes del terreno y otros forman un círculo hipnotizado en torno a la nefasta avellana. Cada uno está plantado en su sitio como clavado por un maleficio y todos tejen entre ellos un espacio nulo pero imantado y cuya fascinación siente inmediatamente todo aquel que contempla el cuadro. Dije *siente* y debería haber dicho: *presiente*, pues ese espacio es el lugar de una inminente aparición. Y por esto mismo es, simultáneamente, nulo e imantado: no pasa nada salvo la espera. Los personajes están enraizados en el suelo y son, literal

105

y metafóricamente, plantas y piedras. La espera los ha inmovilizado—la espera que suprime al tiempo y no a la angustia. La espera es *eterna*: anula al tiempo; la espera es *instantánea*, está al acecho de lo inminente, de aquello que va a ocurrir de un momento a otro: acelera al tiempo. Condenados a esperar el golpe maestro del leñador, los duendes ven interminablemente un claro del bosque hecho del cruce de sus miradas y en donde no ocurre nada. Dadd ha pintado la visión de la visión, la mirada que mira un espacio donde se ha anulado el objeto mirado. El hacha que, al caer, romperá el hechizo que los paraliza, no caerá jamás. Es un hecho que siempre está a punto de suceder y que nunca ocurrirá. Entre el nunca y el siempre anida la angustia con sus mil patas y su ojo único.

En los vericuetos del camino de Galta aparece y desaparece el *Mono Gramático*: el monograma del Simio perdido entre sus símiles.

Ninguna pintura puede contar porque ninguna transcurre. La pintura nos enfrenta a realidades definitivas, incambiables, inmóviles. En ningún cuadro, sin excluir a los que tienen por tema acontecimientos reales o sobrenaturales y a los que nos dan la impresión o la sensación del movimiento, *pasa* algo. En los cuadros las cosas están, no pasan. Hablar y escribir, contar y pensar, es transcurrir, ir de un lado a otro: pasar. Un cuadro tiene límites espaciales pero no tiene ni principio ni fin; un texto es una sucesión que comienza en un punto y acaba en otro. Escribir y hablar es trazar un camino: inventar, recordar, imaginar una trayectoria, ir hacia... La pintura nos ofrece una visión, la literatura nos invita a buscarla y así traza un camino imaginario hacia ella. La pintura construye presencias, la literatura emite sentidos y después corre tras de ellos. El sentido es aquello que emiten las palabras y que está más allá de ellas, aquello que se fuga entre las mallas de las palabras y que ellas quisieran retener o atrapar. El sentido no está en el texto sino afuera. Estas palabras que escribo andan en busca de su sentido y en esto consiste todo su sentido.

23

Hanumān: mono / grama del lenguaje, de su dinamismo y de su incesante producción de invenciones fonéticas y semánticas. Ideograma del poeta, señor/servidor de la metamorfosis universal: simio imitador, artista de las repeticiones, es el animal aristotélico que copia del natural pero asimismo es la semilla semántica, la semilla-bomba enterrada en el subsuelo verbal y que nunca se convertirá en la planta que espera su sembrador, sino en la otra, siempre otra. Los frutos sexuales y las flores carnívoras de la alteridad brotan del tallo único de la identidad.

24

Al fin del camino ¿está la visión? El patio de los vecinos con su mesita negra y su bote oxidado, la arboleda de las hayas sobre una eminencia del terreno deportivo de Churchill College, el paraje de los charcos y los banianos a unos cuantos cientos de metros de la antigua entrada de Galta, son visiones de realidades irreductibles al lenguaje. Cada una de estas realidades es única y para decirla realmente necesitaríamos un lenguaje compuesto exclusivamente de nombres propios e irrepetibles, un lenguaje que no fuese lenguaje: el doble del mundo y no su traducción ni su símbolo. Por eso verlas, de verdad verlas, equivale a enloquecer: perder los nombres, entrar en la desmesura. Es más: volver a ella, al mundo de antes del lenguaje. Pues bien, el camino de la escritura poética se resuelve en la abolición de la escritura: al final nos enfrenta a una realidad indecible. La realidad que revela la poesía y que aparece detrás del lenguaje—esa realidad visible sólo por la anulación del lenguaje en que consiste la operación poética—es literalmente insoportable y enloquecedora. Al mismo tiempo, sin la visión de esa realidad ni el hombre es hombre ni el lenguaje es lenguaje. La poesía nos alimenta y nos aniquila, nos da la palabra y nos condena al silencio. Es la percepción necesariamente momentánea (no resistiríamos más) del mundo sin medida que un día abandonamos y al que volvemos al morir. El lenguaje hunde sus raíces en ese mundo pero transforma sus jugos y reacciones en signos y símbolos. El lenguaje es la consecuencia (o la causa) de nuestro destierro del universo, significa la distancia entre las cosas y nosotros. También es nuestro recurso contra esa distancia. Si cesase el exilio, cesaría el lenguaje: la medida, la *ratio*. La poesía es número, proporción, medida: lenguaje—sólo que es un lenguaje vuelto sobre sí mismo y que se devora y anula para que aparezca lo otro, lo sin medida, el basamento vertiginoso, el fundamento abismal de la medida. El reverso del lenguaje.

La escritura es un búsqueda del sentido que ella misma expele. Al final de la búsqueda el sentido se disipa y nos revela una realidad propiamente insensata. ¿Qué queda? Queda el doble movimiento de la escritura: camino hacia el sentido, disipación del sentido. Alegoría de la mortalidad: estas frases que escribo, este camino que invento mientras trato de describir aquel camino de Galta, se borran, se deshacen mientras los escribo: nunca llego ni llegaré al fin. No hay fin, todo ha sido un perpetuo recomenzar. Esto que digo es un continuo decir aquello que voy a decir y que nunca acabo de decir: siempre digo otra cosa.

Decir que apenas dicho se evapora, decir que nunca dice lo que quiero decir. Al escribir, camino hacia el sentido; al leer lo que escribo, lo borro, disuelvo el camino. Cada tentativa termina en lo mismo: disolución del texto en la lectura, expulsión del sentido por la escritura. La búsqueda del sentido culmina en la aparición de una realidad que está más allá del sentido y que lo disgrega, lo destruye. Vamos de la búsqueda del sentido a su abolición para que surja una realidad que, a su vez, se disipa. La realidad y su esplendor, la realidad y su opacidad: la visión que nos ofrece la escritura poética es la de su disolución. La poesía está vacía como el claro del bosque en el cuadro de Dadd: no es sino el *lugar* de la aparición que es, simultáneamente, el de la desaparición. *Rien n'aura eu lieu que le lieu.*

En el muro cuarteado de la terraza las manchas de humedad y los trazos de pintura roja, negra y azul inventan mapamundis imaginarios. Son las seis de la tarde. Alianza de las claridades y las sombras: pausa universal. Respiro: estoy en el centro de un tiempo redondo, pleno como una gota de sol. Siento que desde mi nacimiento y aun antes, un antes sin cuando, veo al baniano del ángulo de la explanada crecer y crecer (un milímetro cada año), multiplicar sus raíces aéreas, entrelazarlas, descender por ellas hasta la tierra, anclar, enraizar, afincarse, ascender de nuevo, bajar otra vez y así, durante siglos, avanzar entretejido entre sus ramas y raíces. El baniano es una araña que teje desde hace mil años su inacabable telaraña. Saberlo me produce una alegría inhumana: estoy plantado en esta hora como el baniano en los siglos. Sin embargo, el tiempo no se detiene: hace más de dos horas que Esplendor y yo cruzamos el gran arco del Portal, atravesamos la plaza desierta y ascendimos por la escalinata que lleva a esta terraza. El tiempo transcurre y no transcurre. Estas seis de la tarde son desde el origen las mismas seis de la tarde y, no obstante, los minutos suceden a los minutos con la regularidad acostumbrada. Estas seis de la tarde se acaban poco a poco pero cada minuto es traslúcido y a fuerza de transparencia se disuelve o se inmoviliza, cesa de fluir. Las seis de la tarde se resuelven en una inmovilidad transparente, sin fondo y sin reverso: no hay nada detrás.

La idea de que el fondo del tiempo es una fijeza que disuelve todas las imágenes, todos los tiempos, en una transparencia sin espesor ni consistencia, me aterra. Porque el presente también se vacía: es un reflejo suspendido en otro reflejo. Busco una realidad menos vertiginosa, una presencia que me saque de este ahora abismal, y miro a Esplendor—pero ella no me mira: en este momento se ríe de las gesticulaciones de un monito que salta del hombro de su madre a la balaustrada, se columpia prendido con la cola a uno de los barrotes, da un salto, cae a unos pasos de nosotros, nos mira asustado, pega otro salto y regresa al hombro de su madre, que gruñe y nos enseña los dientes. Miro a Esplendor y a través de su rostro y de su risa me abro paso hacia otro momento de otro tiempo y allá, en una esquina de París, entre la calle de Bac y la de Montalembert, oigo la misma risa. Y esa risa se superpone a la risa que oigo aquí, en esta página, mientras me interno en las seis de la tarde de un día que invento y que se ha detenido en la terraza de una casa abandonada en las afueras de Galta.

Los tiempos y los lugares son intercambiables:

la cara que miro ahora y que, sin verme, se ríe del monito y de su pánico, la miro en otro momento de otra ciudad—sobre esta misma página. Nunca es el mismo cuando, nunca es la misma risa, nunca son las mismas manchas del muro, nunca la misma luz de las mismas seis de la tarde. Cada cuando transcurre, cambia, se mezcla a los otros cuandos, desaparece y reaparece. Esta risa que se desgrana aquí es la misma de siempre y siempre es otra, risa oída en un carrefour de París, risa de una tarde que se acaba y se funde con la risa que silenciosamente, como una cascada puramente visual o, más bien, absolutamente mental—no idea de cascada sino cascada vuelta idea—, se desploma en mi frente y me obliga a cerrar los ojos por la muda violencia de su blancura. Risa: cascada: espuma: blancura inoída. ¿Dónde oigo esa risa, dónde la veo? Extraviado entre todos estos tiempos y lugares, ¿he perdido mi pasado, vivo en un continuo presente? Aunque no me muevo, siento que me desprendo de mí mismo: estoy y no estoy en donde estoy. Extrañeza de estar aquí, como si aquí fuera otra parte; extrañeza de estar en mi cuerpo y de que mi cuerpo sea mi cuerpo y yo piense lo que pienso, oiga lo que oigo. Lejos, ando lejos de mí, por aquí, por este camino de Galta que invento mientras escribo y que se disipa al leerlo. Ando por este aquí que no está afuera y que tampoco está adentro; marcho sobre el suelo desigual y polvoso de la terraza como si caminase por dentro de mí, pero ese dentro de mí está afuera: yo lo veo, yo me veo caminarlo. Yo es un afuera. Miro a Esplendor y ella no me mira: mira al monito. También ella se desprende de su pasado, también ella está en su afuera. No me mira, se ríe y, con un movimiento de cabeza, se interna en su propia risa.

Desde la balaustrada de la terraza veo la plaza. No hay nadie, la luz se ha detenido, el baniano se ha plantado en su inmovilidad, Esplendor ríe a mi lado, el monito se asusta y corre a esconderse entre los brazos peludos de su madre, yo respiro este aire insustancial como el tiempo. Diafanidad: al fin las cosas no son sino sus propiedades visibles. Son como las vemos, son lo que vemos y yo soy sólo porque las veo. No hay otro lado, no hay fondo ni agujero ni falla: todo es una adorable, impasible, abominable, impenetrable superficie. Toco el presente, hundo la mano en el ahora y es como si la hundiera en el aire, como si tocara sombras, abrazase reflejos. Admirable superficie a un tiempo inconsistente e impenetrable: todas estas realidades son un tejido de presencias que no esconden ningún secreto. Exterioridad sin más: nada dicen, nada callan, solamente están ahí, ante mis ojos, bajo la luz no demasiado violenta de este día de otoño. Un estar indiferente más allá de hermosura y fealdad, sentido y sinsentido. Los intestinos del perro desventrado que se pudre a unos cincuenta metros del baniano, el pico húmedo y rojeante del buitre que lo destroza, el movimiento ridículo de sus alas al barrer el polvo del suelo, lo que pienso y lo que siento al ver esta escena desde la balaustrada, entre la risa de Esplendor y el miedo del monito—son realidades distintas, únicas, absolutamente reales y, no obstante, inconsistentes, gratuitas y, en cierto modo, irreales. Realidades sin peso, sin razón de ser: el perro podría ser un montón de piedras, el buitre un hombre o un caballo, yo mismo un pedruzco u otro buitre, y la realidad de estas seis de la tarde no sería distinta. Mejor dicho: *distinto* y *lo mismo* son sinónimos a la luz imparcial de este momento. Todo es lo mismo y es lo mismo que yo sea el que soy o alguien distinto al que soy. En el camino de Galta siempre recomenzado, insensiblemente y sin que me lo propusiera, a medida que lo andaba y lo desandaba, se fue construyendo este ahora de la terraza: yo estoy clavado aquí, como el baniano entretejido por su pueblo de raíces, pero podría estar allá, en otro ahora—que sería el mismo ahora. Cada tiempo es diferente; cada lugar es distinto y todos son el mismo, son lo mismo. Todo es ahora.

26

El camino es escritura y la escritura es cuerpo y el
cuerpo es cuerpos (arboleda). Del mismo modo que
el sentido aparece más allá de la escritura como si
fuese el punto de llegada, el fin del camino (un fin
que deja de serlo apenas llegamos, un sentido que
se evapora apenas lo enunciamos), el cuerpo se ofrece
como una totalidad plenaria, igualmente a la vista
e igualmente intocable: el cuerpo es siempre un más
allá del cuerpo. Al palparlo, se reparte (como un texto) en porciones que son sensaciones instantáneas:
sensación que es percepción de un muslo, un lóbulo,
un pezón, una uña, un pedazo caliente de la ingle, la
nuca como el comienzo de un crepúsculo. El cuerpo
que abrazamos es un río de metamorfosis, una con-
tinua división, un fluir de visiones, cuerpo descuartizado cuyos pedazos se esparcen, se diseminan, se
congregan en una intensidad de relámpago que se precipita hacia una fijeza blanca, negra, blanca. Fijeza
que se anula en otro negro relámpago blanco; el
cuerpo es el lugar de la desaparición del cuerpo. La
reconciliación con el cuerpo culmina en la anulación
del cuerpo (el sentido). Todo cuerpo es un lenguaje
que, en el momento de su plenitud, se desvanece;

todo lenguaje, al alcanzar el estado de incandescencia, se revela como un cuerpo ininteligible. La palabra es una desencarnación del mundo en busca de su sentido; y una encarnación: abolición del sentido, regreso al cuerpo. La poesía es corporal: reverso de los nombres.

ondulación rosa y verde, amarilla y morada, oleajes
humanos, cabrilleos de la luz sobre las pieles y las
cabelleras, fluir inagotable de la corriente humana
que poco a poco, en menos de una hora, inundó toda
la plaza. Acodados en la balaustrada, veíamos la pal-
pitación de la masa, oíamos su oleaje crecer y crecer.
Vaivén, pausada agitación que se propagaba y exten-
día en olas excéntricas, llenaba lentamente los espacios vacíos y, como si fuese un chorro, ascendía peldaño a peldaño, paciente y persistente, la gran escalinata del edificio cúbico, desmoronado en partes, si-
tuado en el extremo norte del paralelogramo.

En el segundo y último piso de aquella pesada
construcción, en lo alto de la escalinata y bajo uno
de los arcos que remataban al edificio, habían levan-
tado el altar de Hanumān. El Gran Mono estaba
representado por un relieve esculpido en un bloque
de piedra negra de más de un metro de altura, unos
ochenta centímetros de ancho y unos quince de espesor, colocado o más bien encajado en una plataforma de modestas dimensiones y cubierta por una
tela roja y amarilla. La piedra reposaba bajo un dosel
de madera en forma de conca estriada, pintada de

color oro. Colgaba de la conca un lienzo de seda violeta terminado por flecos también dorados. Dos palos a manera de mástiles de madera, ambos azules y plantados respectivamente a izquierda y derecha del dosel, enarbolaban sendos estandartes triangulares de papel, uno verde y otro blanco. Desparramados en el ara del altar, sobre la brillante tela roja y gualda, se veían montoncitos de cenizas del incienso con que zahumaban a la imagen y muchos pétalos todavía húmedos, restos de las ofrendas florales de los fieles. La piedra estaba embadurnada por una pasta de color rojo vivísimo. Bañado por el agua lustral, los jugos de las flores y la mantequilla derretida de las oblaciones, el relieve de Hanumān relucía como un cuerpo de atleta untado de aceite. A pesar de la espesa pintura roja, se percibía con cierta claridad la figura del Simio en el momento de dar aquel salto descomunal que lo transportó desde las montañas Nilgiri al jardín del palacio de Rāvana en Lankā; la pierna derecha flexionada, la rodilla como una proa que divide la onda, a la zaga la pierna izquierda extendida como un ala o, mejor, como un remo (el salto evoca al vuelo y éste a la natación), la larga cola dibujando una espiral: línea / liana / vía láctea, en alto el brazo derecho ceñido por pesadas pulseras y la mano enorme empuñando la maza guerrera, el otro brazo hacia adelante, la mano desplegada como un abanico o una hoja de palmera real o como la

126

aleta del pescado o la cresta del pájaro (de nuevo: la navegación y la aviación), el cráneo cubierto por un casco—un bólido rojo rompiendo los espacios.

Como su padre Vāyu, el Gran Mono, «si vuela, traza signos de fuego en el cielo; si cae, deja una cola de sonidos en la tierra: escuchamos su rumor pero no vemos su forma». Hanumān es viento como su padre y por eso sus saltos son semejantes al vuelo de los pájaros; y por ser aire, también es sonido con sentido: emisor de palabras, poeta. Hijo del viento, poeta y gramático, Hanumān es el mensajero divino, el Espíritu Santo de la India. Es un mono que es un pájaro que es un soplo vital y espiritual. Casto, su cuerpo es un inagotable manantial de esperma y una sola gota del sudor de su piel es suficiente para fecundar la matriz de piedra de un desierto. Hanumān es el amigo, el consejero y el inspirador del poeta Vālmīki. Puesto que una leyenda quiere que el autor del *Rāmāyana* haya sido un paria leproso, los parias de Galta, que veneran particularmente a Hanumān, han escogido como suyo el nombre del poeta y de ahí que se llamen Balmik. Pero en aquel altar, piedra negra pintada de rojo, bañado por la mantequilla líquida de las oblaciones, Hanumān era sobre todo el Fuego del sacrificio. Un sacerdote había encendido un pequeño brasero que le había aportado uno de sus ayudantes. Aunque estaba desnudo de la cintura para arriba, no era un brahmín y no llevaba el cordón ritual en el pecho; como los otros oficiantes y como la mayoría de los concurrentes, era un paria. Vuelto de espaldas a los espectadores amontonados en el pequeño santuario, alzó el brasero a la altura de los ojos y moviéndolo con lentitud de abajo hacia arriba y en dirección de los ocho puntos cardinales, trazó círculos y volutas luminosas en el aire. Las brasas chisporroteaban y humeaban, el sacerdote salmodiaba las plegarias con voz gangosa y los otros oficiantes, siguiendo el orden prescripto, uno a uno, vertían cucharadas de mantequilla líquida en el fuego: *Brotan los arroyos de mantequilla (la verga de oro está en el centro), corren como ríos, se reparten y huyen como gacelas ante el cazador, saltan como mujeres que van a una cita de amor, las cucharadas de mantequilla acarician al leño abrasado y el Fuego las acepta complacido.*

Con piedras, martillos y otros objetos, los acólitos empezaron a golpear los rieles de hierro que colgaban del techo. Apareció un hombre—vestido de una jerga parda, antifaz, casco y una vara que simulaba una lanza. Era quizás la representación de uno de los monos guerreros que acompañaron a Hanumān y Sugriva en su expedición a Lankā. Los acólitos seguían golpeando los rieles y sobre las cabezas de la multitud que se arremolinaba abajo, persistente y atronador, descendía un poderoso e implacable chubasco sonoro. Al pie del baniano se habían reunido una docena de

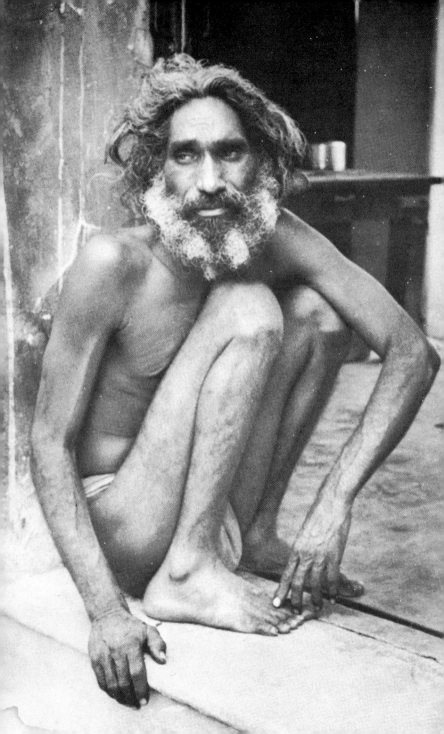

sadhúes, todos viejos, los cráneos rapados o el pelo
largo y revuelto espolvoreado de polvo rojo, las bar-
bas blancas y undosas, los rostros pintarrajeados y las
frentes decoradas con signos: rayas verticales y horizontales, círculos, medias lunas, tridentes. Unos estaban ataviados con mantos blancos o de color azafrán, otros andaban desnudos, el cuerpo cubierto de
cenizas o de estiércol de vaca, los testículos y el pene
protegidos por una bolsa de tela suspendida a un
cordón que les servía de cinturón. Tendidos en el
suelo, fumaban, bebían té o leche o bhang, reían,
conversaban, oraban a media voz, callaban. Al oír
el sonar de los rieles y el rumor confuso de las sal-
modias sacerdotales allá arriba, se incorporaron y sin
previo aviso, como si obedeciesen a una orden que
nadie había oído sino ellos, con ojos chispeantes y
ademanes sonámbulos—los ademanes del que anda
en sueños y se mueve con lentísimos movimientos de
buzo en el fondo del mar—, se echaron a bailar y
cantar en corro. El gentío los rodeaba y seguía sus
movimientos con una fascinación risueña y respetuo-
sa. Saltos y cantos, revoloteo de andrajos coloridos
y trapos centelleantes, miseria lujosa, relámpagos de
esplendor y desdicha, danza de inválidos y nonage-
narios, gestos de ahogados y de iluminados, ramas se-
cas del árbol humano que el viento desgaja y arras-
tra, vuelo de títeres, voces roncas de pedruzcos que
caen en pozos cegados, voces agudas de vidrieras

129

que se hacen trizas, homenajes de la muerte a la vida.

La multitud era un lago de movimientos pacíficos, una vasta ondulación cálida. Se habían aflojado los resortes, las tensiones se desvanecían, ser era extenderse, derramarse, volverse líquido, regresar al agua primordial, al océano materno. La danza de los sadhúes, los cantos de los oficiantes, los gritos y exclamaciones de la multitud eran burbujas del gran lago hipnotizado bajo la lluvia metálica que producían los acólitos al golpear los rieles. Allá arriba, insensibles a los movimientos de la gente apiñada en la plaza y a sus ritos, los cuervos, los mirlos, los buitres y los pericos proseguían imperturbables sus vuelos, sus disputas y sus amoríos. Cielo limpio y desnudo. El aire también se había inmovilizado. Calma e indiferencia. Engañosa quietud hecha de miles de cambios y movimientos imperceptibles: aunque parecía que la luz se había detenido para siempre sobre la cicatriz rosada del muro, la piedra palpitaba, respiraba, estaba viva, su cicatriz se encendía hasta ser una llaga rojiza, y cuando esa brasa estaba a punto de convertirse en llama, se arrepentía, se contraía poco a poco, caía en sí misma, se enterraba en su ardor, era una mancha negra que se derramaba en el muro. Así el cielo, así la plaza y el gentío. La tarde avanzó entre las claridades caídas, anegó las colinas achatadas, cegó los reflejos, volvió opacas las transparencias. Apeñuscados en los balcones des-

de los que, en otros tiempos, los señores y sus mujeres contemplaban los espectáculos de la explanada,
centenares y centenares de monos, con esa curiosidad
suya que es una forma terrible de la universal indiferencia, observaban la fiesta que allá abajo celebraban
los hombres.

28

Dichas o escritas, las palabras avanzan y se inscriben una detrás de otra en su espacio propio: la hoja de papel, el muro de aire. Van de aquí para allá, trazan un camino: transcurren, son tiempo. Aunque no cesan de moverse de un punto a otro y así dibujan una línea horizontal o vertical (según sea la índole de la escritura), desde otra perspectiva, la simultánea o convergente, que es la de la poesía, las frases que componen el texto aparecen como grandes bloques inmóviles y transparentes: el texto no transcurre, el lenguaje cesa de fluir. Quietud vertiginosa por ser un tejido de claridades: en cada página se reflejan las otras y cada una es el eco de la que la precede o la sigue—el eco y la respuesta, la rima y la metáfora. No hay fin y tampoco hay principio: todo es centro. Ni antes ni después, ni adelante ni atrás, ni afuera ni adentro: todo está en todo. Como en el caracol marino, todos los tiempos son este tiempo de ahora que no es nada salvo, como el cuarzo de cristal de roca, la condensación instantánea de los otros tiempos en una claridad insustancial. La condensación y la dispersión, el signo de inteligencia que se hace a sí mismo el ahora en el momento de disiparse. La perspectiva simultánea no contempla al lenguaje como un camino porque no la orienta la búsqueda del sentido. La poesía no quiere saber qué hay al fin del camino; concibe al texto como una serie de estratos traslúcidos en cuyo interior las distintas partes—las distintas corrientes verbales y semánticas—, al entrelazarse o desenlazarse, reflejarse o anularse, producen momentáneas configuraciones. La poesía busca, se contempla, se funde y se anula en las cristalizaciones del lenguaje. Apariciones, metamorfosis, volatizaciones, precipitaciones de presencias. Esas configuraciones son tiempo cristalizado: aunque están en perpetuo movimiento, dan siempre la misma hora—la hora del cambio. Cada una de ellas contiene a las otras, cada una está en las otras: el cambio es sólo la repetida y siempre distinta metáfora de la identidad.

La visión de la poesía es la de la convergencia de todos los puntos. Fin del camino. Es la visión de Hanumān al saltar (géiser) del valle al pico del monte o al precipitarse (aerolito) desde el astro hasta el fondo del mar: la visión vertiginosa y transversal que revela al universo no como una sucesión, un movimiento, sino como una asamblea de espacios y tiempos, una quietud. La convergencia es quietud porque en su ápice los distintos movimientos, al fundirse, se anulan; al mismo tiempo, desde esa cima de inmovilidad, percibimos al universo como una asamblea de mundos en rotación. Poemas: cristalizaciones del juego universal de la analogía, objetos diáfanos que, al reproducir el mecanismo y el movimiento rotatorio de la analogía, son surtidores de nuevas analogías. El mundo juega en ellos al mundo, que es el juego de las semejanzas engendradas por las diferencias y el de las semejanzas contradictorias. Hanumān escribió sobre las rocas una pieza de teatro, *Mahanātaka*, con el mismo asunto del *Rāmāyana*; al leerla, Vālmīki temió que opacase a su poema y le suplicó que la ocultase. El Mono accedió al ruego del poeta, desgajó la montaña y arrojó las rocas al océano. La tinta y la pluma de Vālmīki sobre el papel son una metáfora del rayo y la lluvia con que Hanumān escribió su drama sobre los peñascos. La escritura humana refleja a la del universo, es su traducción, pero asimismo su metáfora: dice algo totalmente distinto y dice lo mismo. En la punta de la convergencia el juego de las semejanzas y las diferencias se anula para que resplandezca, sola, la identidad. Ilusión de la inmovilidad, espejismo del uno: la identidad está vacía; es una cristalización y en sus entrañas transparentes recomienza el movimiento de la analogía.

Todos los poemas dicen lo mismo y cada poema es único. Cada parte reproduce a las otras y cada parte es distinta. Al comenzar estas páginas decidí seguir literalmente la metáfora del título de la colección a que están destinadas, Los Caminos de la Creación, y escribir, trazar un texto que fuese efectivamente un camino y que pudiese ser leído, recorrido como tal. A medida que escribía, el camino de Galta se borraba o yo me desviaba y perdía en sus vericuetos. Una y otra vez tenía que volver al punto del comienzo. En lugar de avanzar, el texto giraba sobre sí mismo. ¿La destrucción es creación? No lo sé, pero sé que la creación no es destrucción. A cada vuelta el texto se desdoblaba en otro, a un tiempo su traducción y su transposición: una espiral de repeticiones y de reiteraciones que se han resuelto en una negación de la escritura como camino. Ahora me doy cuenta de que mi texto no iba a ninguna parte, salvo al encuentro de sí mismo. Advierto también que las repeticiones son metáforas y que las reiteraciones son analogías: un sistema de espejos que poco a poco han ido revelando otro texto. En ese texto Hanumān contempla el jardín de Rāvana como una página de caligrafía como el harem del mismo Rāvana según lo describe el *Rāmāyana* como esta página sobre la que se acumulan las oscilaciones de la arboleda de las hayas que está frente a mi ventana como las sombras de dos amantes proyectadas por el fuego sobre una pared como las manchas del monzón en un muro de un palacete derruido del pueblo abandonado de Galta como el espacio rectangular en que se despliega el oleaje de una multitud contemplada desde los balcones en ruinas por cente-

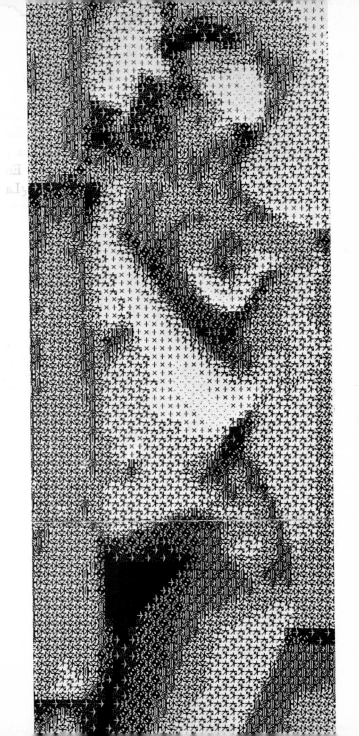

nares de monos como imagen de la escritura y la lectura como metáfora del camino y la peregrinación al santuario como disolución final del camino y convergencia de todos los textos en este párrafo como metáfora del abrazo de los cuerpos. Analogía: transparencia universal: en esto ver aquello.

29

El cuerpo de Esplendor al repartirse, dispersarse, disiparse en mi cuerpo al repartirse, dispersarse, disiparse en el cuerpo de Esplendor:

respiración, temperatura, contorno, bulto que lentamente bajo la presión de las yemas de mis dedos deja de ser una confusión de latidos y se congrega y reúne consigo mismo,

vibraciones, ondas que golpean mis párpados cerrados al mismo tiempo que se apaga la luz eléctrica en las calles y avanza titubeante por la ciudad la madrugada:

el cuerpo de Esplendor bajo mis ojos que la miran extendida entre las sábanas mientras yo camino hacia ella en la madrugada bajo la luz verde filtrada por grandes hojas de banano en un sendero ocre de Galta que me lleva a esta página donde el cuerpo de Esplendor yace entre las sábanas mientras yo escribo sobre esta página y a medida que leo lo que escribo,

sendero ocre que se echa a andar, río de aguas quemadas que busca su camino entre las sábanas, Esplendor se levanta de la cama y anda en la penumbra del cuarto con pasos titubeantes mientras se apaga la luz eléctrica en las calles de la ciudad:

busca algo, la madrugada busca algo, la muchacha se detiene y me mira: mirada ardilla, mirada alba demorada entre las hojas de banano del sendero ocre que conduce de Galta a esta página, mirada pozo para beber, mirada en donde yo escribo la palabra reconciliación:

Esplendor es esta página, aquello que separa (libera) y entreteje (reconcilia) las diferentes partes que la componen,

aquello (aquella) que está allá, al fin de lo que digo, al fin de esta página y que aparece aquí, al disiparse, al pronunciarse esta frase,

el acto inscrito en esta página y los cuerpos (las frases) que al entrelazarse forman este acto, este cuerpo.

la secuencia litúrgica y la disipación de todos los ritos por la doble profanación (tuya y mía), reconciliación / liberación, de la escritura y de la lectura.

Cambridge, verano de 1970

140

ÍNDICE DE ILUSTRACIONES

142

Impreso en el mes de septiembre de 1974
en los talleres de Ariel, S. A.,
Avda. J. Antonio, 134-138,
Esplugues de Llobregat
(Barcelona)